М. Н. АНИКИНА

НАЧИНАЕМ ИЗУЧАТЬ РУССКИЙ

В РОССИЮ С ЛЮБОВЬЮ

Учебное пособие
по русскому языку

2-е издание, стереотипное

ИЗДАТЕЛЬСТВО «РУССКИЙ ЯЗЫК»
МОСКВА
2002

УДК 808.2(075.8)-054.6
ББК 81.2Рус-923
А67

Аникина М. Н.

А67   Начинаем изучать русский. В Россию с любовью. Учебное пособие по русскому языку. 2-е изд., стереотип. — М.: Рус. яз., 2002. — 143 с.

ISBN 5-200-03157-5

Пособие входит в учебный комплекс «Начинаем изучать русский», развивая линию учебника-книги для начального этапа «Лестница». Оно предназначено для иностранцев, изучающих русский язык на среднем и среднепродвинутом этапах. Цель пособия — последовательное развитие и активизация навыков говорения, ведения дискуссии, творческого высказывания на базе живой разговорной речи.

Состоит из 7 разделов, объединенных общей темой «Студенческая жизнь». Каждый раздел включает: текст и задания к нему, лексико-грамматические задания, дискуссионный материал, ключи.

УДК 808.2(075.8)-054.6
ББК 81.2Рус-923

ISBN 5-200-03157-5

ПРЕДИСЛОВИЕ

Психологическим обоснованием для создания пособия стал девиз: «Стимулируй проявление разных точек зрения. Если ты окружен людьми, которые говорят тебе только "да", значит, либо ты сам, либо они занимают не свое место». Избранная позиция определяет основную цель пособия – последовательное развитие и активизация навыков говорения, ведения дискуссии, творческого высказывания. Это именно те средства, которые позволяют личности, восприняв и проанализировав поступившую информацию, сформулировать, высказать и защитить свое мнение.

Пособие — это составная часть учебного комплекса «Начинаем изучать русский». Оно предназначено для иностранцев, которые усвоили программу начального этапа. Его можно использовать на среднем и на среднепродвинутом этапах.

Немаловажным условием эффективной работы с пособием является хорошая подготовленность учащихся. Ее проявление — полноценность усвоения и проработки материала (как грамматического, так и лексического) начального этапа. Пособие чрезвычайно информативно насыщено и требует от учащихся как хороших интеллектуальных навыков в изучении языка, так и способности к интеллектуальной и познавательной деятельности вообще.

Пособие включает 7 основных разделов, объединенных общей темой «Студенческая жизнь». Помимо этого, каждая часть содержит обширный дискуссионный материал, объединенный общим полем с условным названием «Жизнь человеческая». Таким образом, реализуется принцип двуединой тематической организации, который позволяет говорить об адресной универсальности пособия. Каждая часть пособия включает:

• текст и задания к нему;
• лексико-грамматические задания;
• дискуссионный материал;
• ключи.

Пособие не имеет поурочной разбивки, что делает его структуру гибкой и дает преподавателю возможность иметь выбор при работе с ним, а именно: либо придерживаться авторской последовательности в подаче материала, либо творчески моделировать учебную работу с учетом потребностей, личностных характеристик и интересов конкретного контингента учащихся.

Основные принципы пособия:
• коммуникативность;
• двуединая тематическая организация;
• интерактивность (вовлечение учащегося в диалог-дискуссию с главным персонажем пособия);
• концентричность в подаче лексико-грамматического материала (повторяю — расширяю — узнаю);
• триединство отработки материала (отрабатываю в готовом — в моделируемом — в свободном контекстах);

- гибкость структуры;
- сюжетное построение.

Заложенные в пособии принципы позволяют творчески подойти к его использованию в процессе обучения:
- расширить адресную предназначенность (не только студенты);
- варьировать сроки прохождения материала пособия;
- учитывать уровень владения языком.

Основными целями пособия являются следующие:
- активизация и частичная коррекция полученных ранее лексико-грамматических знаний при одновременном их углублении и расширении;
- интенсивная активизация и развитие, в первую очередь, навыков устного общения на русском языке (в формах диалога, монолога, свободной дискуссии), а также письменной речи;
- увеличение словарного запаса;
- совершенствование навыков интеллектуального анализа как языковых явлений, так и явлений жизни вообще.

Автор выражает глубокую благодарность И. Б. Могилевой и А. К. Перевозниковой за высказанные замечания, а также за внимание и поддержку, оказанные данной работе.

Меня зовут Стив Форд. Я — студент-американец, который вот уже четыре года учится в университете в России. Когда я решил получить высшее образование именно в России, меня никто не понимал, особенно мои друзья и родственники. Только мой отец и мой русский друг Макс поддержали меня. Но я совершенно не жалею о своем выборе. Я могу сказать, что это удивительный опыт, который я не получил бы нигде. У меня было и есть немало проблем, но, я уверен, что у вас они тоже есть. В конце концов, студенческие проблемы, мне кажется, везде похожи. А может быть нет? Давайте это обсудим. Итак…

I. ЗНАКОМСТВО

РАССКАЗ И ЗАДАНИЯ К НЕМУ

Я О СЕБЕ И СВОИХ ДРУЗЬЯХ

Привет! Меня зовут Стив Форд, я американец. Сейчас я учусь в Москве в МГИМО на экономическом факультете, на третьем курсе. Вы знаете, что такое МГИМО? МГИМО — это Московский государственный институт международных отношений (университет). Три года назад я ничего не знал об этом университете, а сейчас учусь здесь и мне очень нравится. Я приехал в Россию вместе с отцом, окончил американскую школу в Москве и решил получить высшее образование в России. А почему бы и нет? Деловые отношения между нашими странами развиваются динамично, перспективы для работы — отличные, поэтому я думаю, что сделал правильный выбор.

Честно говоря, сначала мне было трудно учиться, хотя я уже неплохо говорил по-русски. Но мне повезло, потому что я сразу познакомился с русскими ребятами, которые учились в нашей группе. Вообще наша группа интернациональная. Кроме меня здесь ещё учатся девушка из Франции, кореец, два поляка и турок и, конечно, русские. Когда я увидел ребят своей группы первый раз, они мне сразу понравились, и мы быстро подружились. Спасибо русским студентам, которые нам очень много помогали: записывали лекции, объясняли непонятные слова, помогали делать домашние задания и готовиться к экзаменам и зачётам. Сейчас нам уже легче, хотя программа экономического факультета очень сложная, и мы изучаем много специальных и общих предметов. Мы стараемся не пропускать лекции и семинары и, конечно, продолжаем заниматься русским языком. Очевидно, что без хорошего знания языка учиться и потом работать в России невозможно, поэтому на всех курсах и на всех факультетах русский язык был и будет главным предметом для иностранных студентов. Мне кажется, что все наши преподаватели большие патриоты. Они учат нас не только русскому языку или математике, но и понимать и любить Россию, русских людей, сложную и противоречивую русскую историю и культуру. И это действительно интересно, хотя мы часто спорим на уроках русского языка.

Конечно, учиться в России не просто. Иногда я скучаю по дому, по родителям и друзьям, по своим американским привычкам. Раньше я ненавидел писать письма, а теперь пишу часто и посылаю по E-mail(у). К сожалению, я не могу часто звонить домой, потому что это очень дорого. Но, честно говоря, несмотря на все трудности, я никогда не хотел всё бросить, вернуться домой и спокойно, без проблем жить и учиться в Америке. У меня только одна жизнь и я хочу, чтобы она была интересная, насыщенная и разная. А пожить спокойно и удобно я ещё успею, когда мне будет 100 лет.

1. 📖 *ПРОЧИТАЙТЕ.*
   Внимательно прочитайте рассказ.

2. ☞ *РАССКАЖИТЕ.*
   Если для ответа на вопросы не хватает информации из рассказа, добавьте свою.

О нём. Как его зовут? Кто он? Когда, откуда, куда и с кем он приехал? Где он учился раньше и где учится сейчас? Как он говорит по-русски и как он учится? Что он ненавидит и что он любит?
О его отце. Кто он? Когда он приехал в Москву и зачем? Что он делал в Москве? Где он сейчас? Где и кем он работает?
О его группе. Какая она? Кто учится вместе с ним? Как они учатся? Какие у них отношения? Кто кому в чём помогает и как?
О МГИМО. Что это такое? Это большой университет или маленький? Где он находится? Какой это университет?
О его преподавателях. Какие они? Он их любит или нет?
О его жизни в Америке. У него есть друзья? Кто они? Какие они? Кому он пишет письма? Как он проводил время в Америке? Что он любил?

3. ❓ *ОТВЕТЬТЕ НА 5 «ПОЧЕМУ».*
   При ответе используйте информацию из рассказа.

Почему он приехал в Россию?
Почему он решил получить высшее образование в России?
Почему сначала ему было трудно учиться в университете?
Почему он говорит «спасибо» русским студентам?
Почему он не может часто звонить домой?

4. ☺ *ВАША ВЕРСИЯ.*
   При ответе выскажите собственное мнение.

Почему он никогда не хотел всё бросить и вернуться домой?
Почему он закончил американскую, а не русскую школу в Москве?

Почему он выбрал экономический факультет?
Почему ребята в группе ему сразу понравились?
Почему на уроках русского языка они часто спорят?

5. ☻ ВОЗРАЗИТЕ ИЛИ СОГЛАСИТЕСЬ.
Обоснуйте своё мнение.

Ему повезло.
Русские люди — патриоты.
Учиться в России — перспективно, но трудно.
Жизнь должна быть интересная и насыщенная.
В Америке жить скучно.
Русские студенты дружелюбные и всегда помогают иностранцам.

6. ✎ ПОСТАРАЙТЕСЬ ОБЪЯСНИТЬ.
Объясните, как вы понимаете эти выражения:

- американские привычки;
- деловые отношения между странами развиваются динамично;
- без хорошего знания языка учиться в России невозможно;
- несмотря на все трудности;
- интересная, насыщенная, разная жизнь.

7. ☎ ПОГОВОРИМ.

У вас есть привычки, которые связаны с вашим образом жизни на родине? Какие они? Вы по ним скучаете или нет? Объясните почему.

Как вы думаете, динамично ли развиваются отношения между нашими странами? Обоснуйте своё мнение.

Были ли у вас трудности, когда вы начинали учиться в России? Какие? Хотели ли вы всё бросить и вернуться домой? Объясните почему.

Согласны ли вы с тем, что рассказал герой о своей учёбе в Москве? Объясните почему.

8. ✗ ПОСПОРИМ.
Выберите из двух противоположных мнений то, которое вам ближе, и аргументированно отстаивайте его.

Вы — студент, у которого есть большие проблемы в России, и вы решили всё бросить и уехать домой.
Ваша задача — убедить друга, что вы приняли правильное решение.

Вы — студент, которому очень нравится жить и учиться в России.
Ваша задача — убедить друга, что уезжать не стоит, потому что жизнь и учёба в России даёт больше плюсов, чем минусов.

ЛЕКСИКО-ГРАММАТИЧЕСКИЕ ЗАДАНИЯ

9. ☼*ВСПОМНИТЕ И УЗНАЙТЕ.*
Слова и конструкции к теме «Учёба».

1. | **Учиться** где? |

Сейчас я **учусь** *в университете*.

2. | **Учиться** как? |

Я **учусь** в университете иногда *хорошо*, иногда *так себе*.

3. | **Учиться (научиться)** + инф. |

Сейчас я **учусь** *играть* в теннис.
Я уже **научился** *водить* машину.

4. | **Разучиться** + инф. |

Два года я не играл на гитаре и совсем **разучился** *играть*.

5. | **Учить (научить)** кого? + инф. |

Тренер **учит** *меня играть* в теннис.
Мой друг **научил** *меня водить* машину.

| **Учить (научить)** кого? чему? |

Они **учат** *нас разным предметам*.

6. | **Учить (выучить)** что? |

Я **учил** *стихи* Пушкина два дня, и, наконец, **выучил** *их*.

7. | **Изучать (изучить)** что? где? |

Я **изучаю** *бизнес на экономическом факультете*.

8. | **Заниматься (позаниматься)** чем? |

По утрам я **занимаюсь** *русским языком*, а по вечерам — *спортом*.
Утром я **позанимался** *французским*, а потом — *математикой*.

9. | **Учёба** где? |

После **учёбы** *в университете* я хочу работать в торговой фирме.

10. | **Занятие** по чему? |

Сейчас у меня будет **занятие** *по русскому языку*.

11. | **Урок** чего? |

Сейчас у меня будет **урок** *русского языка*.

10. ⊘ *ПРОВЕРЬТЕ СЕБЯ.*
Вставьте нужные слова. Пользуйтесь информацией из задания 9.

Когда я начал … в университете, я сразу стал … французский язык. Честно говоря, я не могу сказать, что … хорошо. Конечно, я … правила, новые слова, грамматику, но мне было совсем неинтересно. Однажды к нам пришёл новый преподаватель. И вдруг, как мы говорим, «мир перевернулся». Сначала он … нас слушать музыку языка, понимать стихи и песни, побеждать трудности. Я помню, что я … везде: дома, в библиотеке, даже в парке. Мне казалось, что я почти … говорить по-русски. Тогда я … много французских стихотворений, которые помню и сейчас. Но самое главное — он … нас любить Францию, французский народ, французскую литературу и, конечно, язык. Его … были для нас настоящим праздником. Может быть, вы не верите, но это правда. А у вас есть любимый …?

11. ✍ *ПРИДУМАЙТЕ, РАССКАЖИТЕ И ЗАПИШИТЕ.*
Составьте мини-рассказ о своей учёбе, расскажите его и запишите.
По возможности используйте все слова из задания 9.

12. ☞ *ПОДЕЛИТЕСЬ.*
Ответьте на вопрос в рассказе-упражнении. Расскажите:

• о вашем самом любимом и самом нелюбимом уроке;
• о вашем любимом преподавателе (учителе).

13. ✋ *ОБЪЯСНИТЕ И ЗАПОМНИТЕ.*
Хорошие русские пословицы и поговорки. Согласны ли вы с ними? Есть ли в вашем языке аналогичные пословицы? Попробуйте сформулировать их по-русски.

Век живи, век учись.
Ученье — свет, а неученье — тьма.

Не учи рыбу плавать.
Много будешь знать, скоро состаришься.

14. ✔ ВСПОМНИТЕ.

Обращения по имени (отчеству, фамилии).

• строго официальные:
господин Петров, госпожа Петрова

• нейтрально-официальные; нейтральные (младшие — старшим):

Андрей Николаевич   Ирина Сергеевна
Сергей Максимович   Елена Михайловна

• нейтральные (старший — младшему); нейтрально-дружеские (ровесник — ровеснику, близкий по возрасту — близкому по возрасту):

Ирина — Ира	Сергей — Серёжа	Марина — Марина
Елена — Лена	Иван — Ваня	Андрей — Андрей
Мария — Маша	Дмитрий — Дима	
Ольга — Оля	Николай — Коля	

• фамильярно-дружеские:

Ира — Ирка	Серёжа — Серёжка
Лена — Ленка	Ваня — Ванька
Маша — Машка	Дима — Димка
Оля — Олька	Коля — Колька

• уменьшительно-ласкательные:

Ира — Ирочка	Серёжа — Серёженька
Лена — Леночка	Ваня — Ванечка
Маша — Машенька	Дима — Димочка
Оля — Оленька	Коля — Коленька

15. ✒ ПРОВЕРЬТЕ СЕБЯ.

Как вы обратитесь:

— к ректору;
— к преподавателю;
— к другу;
— к старшему по возрасту;
— к ребёнку.

Варианты: Николай Николаевич, Николай, Коля, Колька, Коленька, господин Ремизов.

10

16. ✔ *ВСПОМНИТЕ.*

Имя и название: вопросы и ответы.

— Как вас **зовут**?	— Меня **зовут** Марина Ефимова.
— Как ваше **имя**?	— Моё **имя** Марина. Ефимова — моя фамилия.
— Как вас **звали** в детстве?	— В детстве меня **звали** Маришка.
— Почему вас **назвали** Марина?	— Меня **назвали** в честь бабушки.

— Как **называется** этот город?	— Он **называется** Санкт-Петербург.
— Это русское **название**?	— Нет, это не русское **название**.
— А как он **назывался** раньше?	— Раньше он **назывался** Ленинград, а ещё раньше Санкт-Петербург.
— А почему его так **назвали**?	— Его **назвали** в честь святого Петра.

17. ✆ *ПРОВЕРЬТЕ СЕБЯ.*

Составьте мини-высказывания. Используйте информацию из задания 16.

Модель: ▶ Эта площадь называется Красная площадь. Раньше она тоже так называлась. Площадь назвали так, потому что Красная значит красивая. По-моему, это красивое название.

▶ Её зовут Наталья. Возможно, её назвали Наталья в честь мамы. По-моему, Наталья — это очень красивое и музыкальное имя.

Название/имя	Почему?	Ваша оценка
Волгоград (Сталинград) Санкт-Петербург (Ленинград) Нижний Новгород (Горький) Ленинский проспект Валентина Владимир Владимирович		

18. ≋ *ПОФАНТАЗИРУЙТЕ.*

Вы открыли новую звезду. Как вы её назовёте? Почему?
У вас родился сын. Как вы его назовёте? Почему?

Вы сконструировали принципиально новую модель спортивной машины. Как вы её назовёте? Почему?

19. ✍ ВСПОМНИТЕ + ПРОВЕРЬТЕ СЕБЯ.
Заполните таблицу, указав названия национальностей, образуйте от них прилагательные.

Страна	Житель	Жительница	Прилагательное в словосочетании
Италия Америка Япония Корея Китай Швейцария Испания	Итальянец	Итальянка	Итальянский флаг
Англия Египет Молдавия Израиль Болгария	англичанин	англичанка	английский
Россия Франция Германия Чехия			
Польша Индия Турция Швеция			

20. ✍ ВСПОМНИТЕ + ПРОВЕРЬТЕ СЕБЯ.
Названия профессий и занятий. Продолжите списки.

1. Человек, который учит детей в школе   —   учитель
                   строит дома
                   пишет книги
                   преподаёт в университете
                   водит машину

2. Человек, который переводит — переводчик
   грузит —
3. Человек, который поёт — певец
   продаёт —
   плавает —
4. Человек, который занимается: а) физикой — физик
   математикой —
   историей —
   б) журналистикой — журналист
   экономикой —
   финансами —
   футболом —
   теннисом —
   в) биологией — биолог
   филологией —
   психологией —
5. Человек, который играет: а) на пианино — пианист
   на гитаре —
   на флейте —
   б) на скрипке — скрипач
   на трубе —

21. ⚡ *УЗНАЙТЕ + ПРОВЕРЬТЕ СЕБЯ.*
   Отглагольные существительные. Продолжите списки.

Человек, который: а) живёт где-то — житель
   победил кого-то —
   основал что-то —
   читает что-то —
   предал что-то (кого-то) —
   покупает что-то —
   создал что-то новое —
   любит что-то —
   б) обманывает — обманщик
   прогуливает —
   притворяется —
   любит <u>спорить</u> —
   в) завидует — завистник
   защищает —
   г) борется — борец
   льстит —

13

22. ✎ *ПРОВЕРЬТЕ СЕБЯ.*

Измените предложения. Используйте отглагольное существительное.

1. В школе он часто <u>прогуливал</u> уроки.
2. В Москве <u>живёт</u> около 8 миллионов человек.
3. Она <u>любит</u> классическую музыку.
4. Мартин Лютер Кинг <u>боролся</u> за свободу чернокожих в Америке.
5. СССР и его союзники <u>победили</u> во второй мировой войне.
6. Петр I <u>основал</u> Петербург.
7. Всю жизнь она ненавидела людей, которые <u>завидовали</u> другим.
8. Русский учёный Попов первым в мире <u>создал</u> радио.
9. Люди, которые <u>завидуют</u> и <u>притворяются</u>, часто <u>льстят</u>.

23. ～ *ПОФАНТАЗИРУЙТЕ.*

Подберите отглагольные существительные, с помощью которых можно охарактеризовать:

⫻ студентов;
⫻ политиков;
⫻ актёров;
⫻ бизнесменов;
⫻ девушек.

24. ～ *ПОФАНТАЗИРУЙТЕ + ПРОВЕРЬТЕ СЕБЯ.*

Представьте, что перед вами «карьерная лестница» Ефимова Николая Николаевича. Опишите, каким он был на каждой из этих ступеней. Используйте глаголы быть *(был, будет),* стать, работать *и формы имени, которые соответствуют тому или иному возрасту (см. задание 14).*
Начните: «В детстве Коленька был... Потом он пошёл в школу и там он стал ...».

ректор (мудрый, уважаемый, но усталый)
↑
проректор (прогрессивный, демократичный)
↑
декан (строгий, но справедливый)
↑
преподаватель (любимый, но требовательный)
↑
журналист (достаточно известный, но бедный)
↑
аспирант (талантливый, но занятой)

↑
студент (целеустремлённый и трудолюбивый)

↑
школьник (ленивый, но способный)

↑
ребёнок (умный, но капризный)

25. ✐ *ПРОВЕРЬТЕ СЕБЯ.*

Определите понятия. Ответьте на вопросы: что это такое? кто это такой?

Москва —
МГУ —
журналист —
дружба —
студент —
ректор —
Олимпийские игры —
прогульщик —
теннис —
политика —
любовь —

26. ✔ *ВСПОМНИТЕ.*

Сложное предложение со словом **который.**

Простое предложение	Сложное предложение
Это дом. Я **в нём** живу.	Это дом, **в котором** я живу.
Идёт преподаватель. Я хочу **с ним** поговорить.	Идёт преподаватель, **с которым** я хочу поговорить.
В нашем доме живёт девушка. Я **её** люблю.	В нашем доме живёт девушка, **которую** я люблю.

27. ✐ *ПРОВЕРЬТЕ СЕБЯ.*

Из двух предложений составьте одно сложное со словом который.

Вот дом. Его построил Джек.
Джек — мой друг. Я провожу с ним много свободного времени.

Джек — мой самый близкий друг. Мне трудно представить свою жизнь без него.

Однажды со мной случилась очень неприятная история. Джек мне помог выйти из этой истории.

После этого я понял, что в моей жизни есть настоящий друг. Я всегда могу положиться на него в трудной ситуации, и он никогда не будет напоминать мне о том, что сделал.

Джек отлично рассказывает разные смешные истории. Я смеюсь над ними, как ребёнок.

Джек — архитектор. Его знают не только в нашей стране, но и за границей.

Часто он приглашает меня на художественные выставки. Там бывает много интересных людей.

У меня есть один секрет. Я не говорил о нём Джеку.

Я тоже построил дом. Он как две капли воды похож на дом Джека, но я сделал его из спичек.

28. ✍ *ЗАПИШИТЕ.*

Напишите получившийся текст. Сравните оба варианта. Какой вам нравится больше? Объясните почему.

29. ✏ *РАССКАЖИТЕ.*

Расскажите о своих друзьях. Максимально используйте сложные предложения со словом который.

30. ☎ *ПОГОВОРИМ.*

Обоснуйте своё мнение.

Важна ли дружба в наше время?

Как вы относитесь к высказываниям: «Дружба в наше время — это принцип: ты — мне, я — тебе. Если будут деньги, то будут и друзья»?

31. ✋ *ОБЪЯСНИТЕ И ЗАПОМНИТЕ.*

Хорошие русские пословицы. Согласны ли вы с ними? Есть ли в вашем языке аналогичные пословицы? Попробуйте сформулировать их по-русски.

Дружба дружбой, а служба службой.
Не имей сто рублей, а имей сто друзей.
Старый друг лучше новых двух.
Друзья познаются в беде.

32. *≈ ПОФАНТАЗИРУЙТЕ.*

Дайте два максимально информационно насыщенных варианта предложения: 1 — простое предложение; 2 — сложное.

Модель: Погода хорошая.

▸ Как всегда, летом в моей любимой Москве погода хорошая, особенно в июле и в августе.

▸ Неважно, какая сегодня погода: хорошая или плохая, важно, что у меня сегодня отличное настроение.

Русский язык трудный.

Идёт дождь.

Я занимаюсь.

Мы встречаемся.

Им нравится.

Он хочет рассказать.

Они поссорились.

Разговор был коротким.

Учёба — это важно.

Москва — большой город.

ДИАЛОГИ

Преподаватель: — Здравствуйте. Меня зовут Марина Андреевна. Я ваша новая преподавательница русского языка. Я очень рада познакомиться с вами и надеюсь, что мы будем активно и дружно работать вместе в этом учебном году. А теперь расскажите мне о себе.

Студент: — Меня зовут Тэ Хун. Год назад я приехал из Кореи. Год я учился на подфаке, а сейчас учусь на первом курсе на экономическом факультете.

П: — А почему вы выбрали этот факультет?

С: — Я хочу стать бизнесменом и открыть в Москве небольшую фирму.

П: — Вы уже решили, какую фирму хотите открыть?

С: — Ещё нет. У меня ещё есть время, чтобы подумать и посоветоваться с отцом и старшим братом.

П: — А вам нравится учиться в МГИМО?

С: — Да. Здесь трудно учиться, но мне нравится. Я люблю, когда трудно. Это интереснее.

П: — Наверно, вы хорошо учились в школе?

С: — Отлично. Мой отец научил меня серьёзно относиться к работе. И мне нравится много заниматься. Особенно я люблю изучать иностранные языки.

П: — Да. Я вижу, что вы — трудолюбивый и целеустремлённый человек. А какие предметы вы изучаете сейчас?

С: — Очень много. Но мне надо посмотреть расписание, потому что я не помню точно.

П: — Здравствуйте. Меня зовут Николай Максимович. Я буду читать вам лекции по международным отношениям и политике. Вы уже знаете ваше расписание, поэтому я не буду говорить об этом. Семинары будет проводить Алексей Дмитриевич по вторникам и средам. А сейчас я хочу узнать, кто вы, и почему вы решили поступить на этот факультет?

С1: — Меня зовут Патрик Ферра. Я француз. Я думаю, что международные отношения — это очень важно. Я хочу, чтобы в мире не было войн, чтобы все государства сотрудничали и помогали друг другу. Я хочу открыть все границы, чтобы люди могли путешествовать и узнавать что-то новое. Но для этого нужно много работать, поэтому я хочу стать дипломатом.

С2: — Меня зовут Фей Лиз. Я из Турции. Я с детства мечтала стать дипломатом, много путешествовать, встречаться с разными людьми и говорить на иностранных языках. Это наивно, но это — моя мечта.

33. ✂ *ПРОАНАЛИЗИРУЙТЕ.*

Структура диалогов знакомства преподавателя с новыми студентами.

С какой информации начинается диалог?

Какова дальнейшая последовательность развития диалогов?

Чем заканчиваются диалоги?

Можно ли изменить последовательность развития диалогов? Обоснуйте своё мнение.

34. ▱ *РАССКАЖИТЕ:*

❑ о преподавателях;

❑ о студентах, которые участвовали в диалогах;

❑ о предметах, которые ведут эти преподаватели.

35. ☞ ❧ *СИТУАЦИЯ.*

Вы — преподаватель.

Ваша задача — познакомиться со своими студентами. С чего вы начнёте знакомство с ними? О чём вы их спросите и что расскажете о себе и о своём предмете?

18

Вы — студент.

Ваша задача — узнать о преподавателе и его предмете. О чём вы хотите спросить преподавателя, что хотите узнать о его предмете и о ваших будущих занятиях?

36. ☞ РАССКАЖИТЕ О СЕБЕ.

1. Автобиографические данные.
Как вас зовут?

Когда вы родились и где?

Кто ваши родители, чем они занимаются?

Где вы учились, какие предметы изучали?

Когда и зачем вы приехали в Москву?

Что вы закончили в Москве или где сейчас учитесь?

2. Причины выбора.
Почему вы выбрали Россию для того, чтобы получить высшее образование?

Почему вы решили получить высшее образование именно в этом университете, а не в другом?

Почему вы выбрали именно этот факультет, а не другой?

3. Планы на будущее.
Какие у вас планы на будущее?

Что вы собираетесь делать после окончания университета?

Планируете ли вы работать в России? Если да, то где и кем.

37. ☐ ПРОЧИТАЙТЕ.
Прочитайте резюме.

РЕЗЮМЕ

Халатова Екатерина Владимировна, 14.01.1967 г.р., место рождения г. Москва.

ОБРАЗОВАНИЕ	английская специальная школа № 56 г. Москвы, 1974—1984 гг.
	Московский государственный институт международных отношений МИД СССР, факультет Международные отношения, 1984—1989 гг.
	Стажировка в Институте политических наук (Франция), 03.1993 г.

	Аспирантура МГИМО, 1989—1992 гг.
	Защита диссертации на соискание учёной степени кандидата исторических наук 28.06.1993 г.
ТРУДОВАЯ ДЕЯТЕЛЬНОСТЬ	Преподаватель истории международных отношений в МГИМО МИД РФ, кандидат исторических наук, доцент, с 1993 г. — по настоящее время.
	Преподаватель истории в Колумбийском университете (США), 1995—1996 гг.
НАУЧНАЯ РАБОТА	15 научных публикаций, 4 пособия, 1 учебник

38. ОЦЕНИТЕ.

Дайте свою оценку сделанной карьере.

Можно ли назвать её блестящей, хорошей или обычной?

Можно ли сказать, что это — отличная карьера для женщины? А для мужчины? Опишите, как вы представляете себе блестящую карьеру.

Приведите, если возможно, пример блестящей карьеры.

39. ПОФАНТАЗИРУЙТЕ.

Вам сейчас 40 лет. Составьте своё собственное резюме.

40. МЫ ВАС СЛУШАЕМ. ВЫСКАЖИТЕСЬ.

Выберите одну из тем и выскажитесь по ней. Время — 5 минут.

✗ о себе;

✗ о своих проблемах в России;

✗ о своих друзьях в России;

✗ о своих любимых и нелюбимых предметах и занятиях;

✗ о своей карьере.

 КЛЮЧИ К ЛЕКСИКО-ГРАММАТИЧЕСКИМ ЗАДАНИЯМ

10. Учиться, изучать, учился, учил, учил, занимался, разучился, выучил, научил, занятия, урок.

15. Господин Ремизов, Николай Николаевич; Николай Николаевич; Николай, Коля; Николай Николаевич; Колька (Коленька).

19. Американец — американка — американский; японец — японка — японский; кореец — кореянка — корейский; китаец — китаянка — китайский; швейцарец — швейцарка — швейцарский; испанец — испанка — испанский; египтянин — египтянка — египетский; молдаванин — молдаванка — молдавский; израильтянин — израильтянка — израильский; болгарин — болгарка — болгарский; русский — русская — русский (российский); француз — француженка — французский; немец — немка — немецкий (германский); чех — чешка — чешский; поляк — полька — польский; индиец — индианка — индийский; турок — турчанка — турецкий; швед — шведка — шведский.

20. 1. Строитель, писатель, преподаватель, водитель; 2. грузчик; 3. продавец, пловец; 4. а) математик, историк; б) экономист, финансист, футболист, теннисист; в) филолог, психолог; 5. а) гитарист, флейтист; б) трубач.

21. а) Победитель, основатель, читатель, предатель, покупатель, создатель, любитель; б) прогульщик, притворщик, спорщик; в) защитник; г) льстец.

22. 1. В школе он был прогульщиком. 2. В Москве около 8 миллионов жителей. 3. Она любительница классической музыки. 4. ... был борцом за свободу... 5. СССР и его союзники были победителями во второй... 6. Петр I был основателем Петербурга. 7. Она всю жизнь ненавидела завистников. 8. ... был создателем радио. 9. Завистники и притворщики часто бывают льстецами.

27. Вот дом, который построил Джек. Джек — мой друг, с которым я провожу много свободного времени. Джек — мой самый близкий друг, без которого мне трудно представить свою жизнь. Однажды ... история, из которой Джек мне помог выйти. После ... есть настоящий друг, на которого я всегда могу положиться и который никогда не будет напоминать мне ... Джек отлично ... истории, над которыми я смеюсь, как ребёнок. Джек — архитектор, которого знают не только в нашей стране, но и за границей. Часто ... на выставки, на которых бывает много интересных людей. У меня есть один секрет, о котором я не говорил Джеку. Я тоже построил дом, который как две капли воды похож на дом Джека, но который сделан из спичек.

II. УЧЁБА

Я О СВОЕЙ УЧЁБЕ

Как я уже сказал, учиться в МГИМО очень трудно всем, но особенно иностранцам. Программа на экономическом факультете очень сложная, море новой информации на русском языке. На первом курсе мне помогло то, что я неплохо знал математику, потому что на нашем факультете математика — один из главных предметов. Но, честно говоря, когда я слушал свою первую лекцию на русском языке, у меня был просто шок: мне казалось, что я не понимаю ничего. Я так расстроился из-за этого, что даже не пошёл на вторую лекцию. Но вечером ко мне в общежитие пришёл один русский парень из нашей группы (сейчас он мой самый близкий друг) и принёс тетрадь с лекциями. Он долго уговаривал меня прочитать начало лекции, я отказывался, но в конце концов согласился посмотреть. Удивительно, но я понял почти всё. Тогда мы решили, что мне надо записывать лекции на магнитофон, а потом слушать их дома и стараться записать в тетрадь. Я занимался день и ночь и приблизительно через два месяца понял, что у меня появился большой прогресс. Это была победа! Зимой, когда я сдавал свою первую сессию, я получил только одну тройку. Сейчас у меня их нет совсем.

На первом курсе я начал изучать ещё один иностранный язык — французский. В России изучению иностранных языков придают большое значение и уделяют много времени. Это уже традиция. В Америке к этому относятся по-другому. Мне кажется, что говорить на иностранных языках — это очень важно, особенно в наше время. В следующем семестре я планирую начать изучать ещё один язык, хотя не уверен, хватит ли мне времени. На мой взгляд, метод преподавания иностранных языков в нашем университете эффективный и преподаватели отличные, поэтому глупо пропустить такой шанс.

Одним из самых важных предметов на нашем факультете является информатика. Информатика — это изучение компьютера, его возможностей и компьютерных программ. К сожалению, компьютерная база здесь не самая лучшая, особенно по сравнению с западными университетами, поэтому мне пришлось купить себе компьютер последней модели и много заниматься самому. Конечно, не все могут себе это позволить, поэтому я разрешаю пользоваться своим компьютером друзьям и знакомым. Мы даже решили открыть свой сайт в Интернете, чтобы обмениваться информацией со студентами-экономистами во всём мире.

Конечно, мне не всё нравится в нашей университетской программе. По-моему, есть лишние предметы, иногда не хватает самой последней зарубежной информации. Но это всё не так важно. Самое главное, что я понял за время своей учёбы, — никогда нельзя сдаваться, если трудно. Согласны?

1. 📖 *ПРОЧИТАЙТЕ.*
Внимательно прочитайте рассказ.

2. ✂ *ПРОАНАЛИЗИРУЙТЕ.*
Выделите в рассказе информационные части. Коротко сформулируйте содержание каждой из них. Начните: «В первой части рассказа говорится о…».

3. ❓ *ОТВЕТЬТЕ НА 5 «ПОЧЕМУ».*
При ответе используйте информацию из рассказа.

Почему иностранцам трудно учиться в университете?
Почему у него был шок?
Почему у него появился прогресс?
Почему он решил изучать ещё один иностранный язык?
Почему он купил себе компьютер?

4. ☺ *ВАША ВЕРСИЯ.*
При ответе выскажите собственное мнение.

Почему он выбрал французский язык?
Почему он ничего не понял на лекции, но понял конспект лекции в тетради?
Почему русский студент решил ему помочь?

5. ☻ *ВОЗРАЗИТЕ ИЛИ СОГЛАСИТЕСЬ.*
Обоснуйте своё мнение.

Иностранцам учиться в России трудно.
Чтобы нормально учиться в России, нужно заниматься день и ночь.
Говорить на иностранных языках — очень важно.
Метод преподавания иностранного языка в России эффективный.

Компьютерная база в России вообще и в университетах, в частности, слабая.
Самое важное в жизни — не сдаваться, когда трудно.

6. ☞ *ПОСТАРАЙТЕСЬ ОБЪЯСНИТЬ.*
Что имел в виду Стив, когда говорил:

Мне помогло то, что я хорошо знал математику.
Он долго уговаривал меня прочитать начало лекции, но я отказывался.
В России изучению иностранных языков придают очень большое значение и уделяют много времени. Это уже традиция.
В Америке к этому относятся по-другому.
Не все могут себе позволить купить собственный компьютер.
Но это всё не так важно.

7. ☎ *ПОГОВОРИМ.*

Вам трудно или легко учиться в России? Объясните почему.
У вас был шок, как у героя, когда вы пришли на первое занятие? Расскажите об этом. Как вы справились с этим? Помог ли вам кто-то?
Как относятся к изучению иностранных языков в вашей стране? Объясните почему.
Как преподаётся иностранный язык в вашей стране? Как вы оцениваете эффективность метода, который там используется? Расскажите о своём опыте изучения иностранного языка дома.
Всем ли сейчас необходимо уметь работать на компьютере? Объясните почему.
Всё ли вам нравится в программе вашего университета? Объясните почему.

8. ✗ *ПОСПОРИМ.*
Выберите из двух противоположных мнений то, которое вам ближе, и аргументированно отстаивайте его.

Вы — студент, который решил начать изучать ещё один иностранный язык. Вы считаете, что это очень важно и нельзя потерять такой шанс, даже если трудно.
Ваша задача — убедить друга, что вы правы, и, может быть, уговорить его тоже начать заниматься.

Вы — студент, который считает, что достаточно знать только английский язык. Изучение ещё одного языка потребует слишком много времени и не даст результата.
Ваша задача — отговорить друга изучать ещё один язык и предложить ему заниматься чем-то другим, что кажется вам более интересным.

ЛЕКСИКО-ГРАММАТИЧЕСКИЕ ЗАДАНИЯ

9. ☼УЗНАЙТЕ.

Глагол ***говорить*** *с приставками. Отглагольные существительные.*

1.
> **Говорить** с кем? о чём?; кому? о чём?
> **сказать** кому? о чём?
> **поговорить** с кем? о чём?

Я **говорил** *с преподавателем об экзаменах.*
Я **говорил** *вам об этом* много раз.
Я уже **сказал** *ему об этом.*
Я хочу **поговорить** *с преподавателем об экзаменах.*

2.
> **Заговаривать (заговорить)** с кем? о чём?

Неожиданно он **заговорил** *о своих проблемах.*

3.
> **Договаривать (договорить)** что? с кем? о чём?

Он так устал, что не смог **договорить** *фразу.*
Вчера мы не **договорили** *с вами о наших планах.*

4.
> **Разговаривать** (только НВ) с кем? о чём?

Я **разговаривал** *с деканом о работе.*

> **Разговор(-ы)** с кем? о чём?

Мой **разговор** *с ним об этом* был бесполезным.

5.
> **Уговаривать (уговорить)** кого? + инф.

Он долго **уговаривал** *меня не бросать* учёбу в Москве.

> **Уговоры** (только мн.ч.)

Его **уговоры** были напрасны.

6.
> **Отговаривать (отговорить)** кого? от чего?
>   кого? + инф.

Она хотела **отговорить** *меня от поездки* во Францию.
Она хотела **отговорить** *меня ехать* во Францию.

7. | **Переговорить** (только СВ) с кем? о чём? |

Вчера я **переговорил** *с деканом о переносе экзамена.*

| **Переговоры** (только мн. ч.) с кем? о чём? |

Мои **переговоры** *с ним об этом* были успешными.

8. | **Договариваться** (**договориться**) с кем? о чём? |

Мы **договорились** *с партнёрами о сотрудничестве.*

| **Договор(-ы)** с кем? о чём? (*документ*) |

В результате переговоров был подписан **договор** *о сотрудничестве.*

9. | **Разговориться** (только СВ) с кем? о чём? |

В поезде я случайно **разговорился** *с соседом о жизни.*

10. | **Проговариваться** (**проговориться**) кому? о чём? |

Родители хотели сделать мне сюрприз, но сестра случайно **проговори-лась** *мне об этом.*

11. | **Наговориться** (только СВ) |

Мы встретились через пять лет и не могли **наговориться**.

12. | **Оговариваться** (**оговориться**) |

Он просто **оговорился**, когда назвал его Сашей. Все знают, что его зовут Сергей.

Внимание! Синонимы и антонимы!

разговаривать	—	болтать	—	беседовать — обсуждать
разговор	—	болтовня —	беседа	— обсуждение

| говорить — разговаривать → молчать |

26

10. 🖉 *ПРОВЕРЬТЕ СЕБЯ.*

Вставьте нужные слова, поставьте слова из скобок в правильную форму. Используйте информацию из задания 9.

Когда я начал учиться в Москве, я понял, что мне необходимо купить компьютер. Но у меня не было денег для этого, поэтому мне пришлось позвонить домой, чтобы … (это родители). Наш … не был лёгким, потому что отец считает, что я трачу слишком много денег. Мама … (я, покупка), так как думала, что в университете много компьютеров. Мне пришлось долго … (они) прислать мне хотя бы часть денег. Мы … почти час, но не успели … , потому что что-то случилось с линией.

На следующий день отец сам позвонил мне и мы, наконец, … (всё). Отец … (свой друг), который работает в Москве, и он обещал мне помочь купить недорогой компьютер. Потом позвонила мама и …, что она пошлёт мне ещё немного денег, но попросила меня не … (это, папа). Сейчас у меня только одна проблема: где найти недостающую часть суммы. Что вы мне посоветуете?

11. 🖉 *ПРЕДСТАВЬТЕ СЕБЯ НА МЕСТЕ ДРУГОГО.*

Представьте себя на месте его мамы (папы) и расскажите об этой проблеме с их позиции.

12. 🖉 *ПРИДУМАЙТЕ И ЗАПИШИТЕ.*

Составьте и запишите мини-историю о том, как вы решали какую-нибудь свою проблему путём различных переговоров.
Постарайтесь использовать максимум слов из задания 9.

13. 🖉 *ПОСОВЕТУЙТЕ.*

Ответьте на вопрос в рассказе-упражнении. Постарайтесь дать различные варианты решения проблемы.

14. 🖐 *ОБЪЯСНИТЕ И ЗАПОМНИТЕ.*

Хорошие русские пословицы. Согласны ли вы с ними? Есть ли в вашем языке аналогичные пословицы? Сформулируйте их по-русски.

Слово — серебро, молчание — золото.
Язык мой — враг мой.
Сказано — сделано.
Говорить правду — терять дружбу.

15. ✍ *ВСПОМНИТЕ И УЗНАЙТЕ + ПРОВЕРЬТЕ СЕБЯ.*
Отглагольные существительные. Заполните таблицу.

Глагол	Отглагольное существительное	Словосочетание
Разговаривать Уговаривать Договариваться Переговорить Выбирать Собираться	Разговор	Разговор с отцом о деньгах
Учиться Дружить Просить Служить Бороться Стрелять	учёба	учёба в университете
Подготовить Проверить Оценивать Поехать Покупать Убирать	подготовка	подготовка к экзаменам
Окончить Создать Назвать Опоздать Обещать	окончание	после окончания школы
Изменять Решить Управлять Предложить Выступать Поступать Обсуждать	изменение	изменение курса рубля
Развивать Открывать	развитие	развитие экономики

28

Внимание!

Для того чтобы правильно использовать отглагольное существительное во фразе, необходимо:

- следить за грамматикой;
- правильно выбрать глагол, который сочетается с отглагольным существительным.

16. 🖉 *ПРОВЕРЬТЕ СЕБЯ.*

Измените предложение по модели. При необходимости используйте слова из справки.

Модель: Погода сильно <u>влияет</u> на здоровье людей.
   ▸ Погода <u>оказывает</u> сильное <u>влияние</u> на здоровье людей.

   <u>Когда я поступил</u> в университет, я сразу начал изучать 2 иностранных языка.
   ▸ <u>После поступления</u> в университет я сразу начал изучать 2 иностранных языка.

1. Сейчас компьютерные технологии активно <u>развиваются</u>.
2. Я не могу правильно <u>оценить</u> ситуацию в России.
3. Человек должен <u>бороться</u> за себя, за своё будущее.
4. За последнее время уровень жизни <u>снизился</u>.
5. После того как я закончу учиться, я собираюсь <u>путешествовать</u>.
6. Наша футбольная команда <u>победила</u> в этом матче.
7. Мне кажется, что я правильно <u>выбрал</u> профессию.
8. Сейчас Москва <u>готовится</u> к празднику.
9. За последнее время жизнь в России сильно <u>изменилась</u>.
10. Он письменно <u>пригласил</u> нас на свой день рождения.
11. Перед тем как <u>открыть</u> выставку, президент фирмы выступил с речью.
12. После того как стороны <u>обсудили</u> двусторонние проблемы, началась пресс-конференция.
13. Руководители <u>решили</u> встретиться через неделю.
14. Он <u>обещал</u> никогда больше не возвращаться к тому, о чём мы <u>говорили</u>.

Слова для справки: давать — дать, вести, идти, одержать — одерживать, происходить — произойти, посылать — послать, делать — сделать, отправляться — отправиться, принимать — принять, проводить — провести.

17. ✔ *ВСПОМНИТЕ.*
Возвратные и личные местоимения.

Я — о себе о своих проблемах	Ты — о себе о своих проблемах

Я — о тебе о твоих проблемах	Ты — обо мне о моих проблемах

18. ✂ *СРАВНИТЕ И ПРОАНАЛИЗИРУЙТЕ.*
Прочитайте два мини-рассказа, проанализируйте использование местоимений.

Он посмотрел <u>на себя</u> в зеркало. Он часто думает <u>о себе</u>. Он думает <u>о своём</u> прошлом, он не знает, что делать <u>со своим</u> настоящим. Иногда он даже разговаривает <u>сам с собой</u>. Он говорит <u>себе</u>: «Ты сможешь всё, если захочешь».

Он посмотрел <u>на него</u> в зеркало. Он часто думает <u>о нём</u>. Он думает <u>о его</u> прошлом, он не знает, что делать <u>с его</u> настоящим. Иногда он даже разговаривает <u>с ним</u>. Он говорит <u>ему</u>: «Ты сможешь всё, если захочешь».

19. ☎ *ПРОВЕРЬТЕ СЕБЯ.*
Раскройте скобки. Выберите нужный вариант и оформите фразу грамматически правильно.

Вчера мой друг рассказал мне о (его, моя, своя проблема). Он не смог написать доклад, потому что он случайно сломал (его, мой, свой компьютер). Мы долго обсуждали (его, моя, своя проблема). Я предложил ему (его, моё, своё решение). Но он категорически отказался от (его, мой, свой вариант). Он считает, что у него есть (его, моя, своя голова), он хочет пользоваться только (его, мои, свои идеи) и делать всё (по-моему, по-своему). На следующий день он одолжил деньги у (его, мои, свои родители) и купил (мне, ему, себе новый компьютер). Но я не уверен, что (его, моя, своя идея) была очень хорошая, потому что, как мне кажется, (его, мой, свой вариант) решения проблемы был лучше.

30

20. ✆ *ПРЕДСТАВЬТЕ СЕБЯ НА МЕСТЕ ДРУГОГО И РАССКАЖИТЕ.*
Представьте, что вы — отец друга и расскажите об этой проблеме с его позиции.

21. ☎ *ПОГОВОРИМ.*

Как вы думаете, какой вариант решения проблемы предложил ему друг?
Часто ли студенты одалживают деньги? Если да, то у кого и на что?
Стоит ли вообще брать в долг деньги даже у друзей?
Часто ли государства одалживают деньги? Если да, то у кого и зачем?
Как бы вы решили проблему с компьютером?

22. ✔ *ВСПОМНИТЕ.*
Выражение времени в простом предложении.

I. ДАТА. Вопрос когда?

> *Только год*
> **В каком году**

В 1998 г.
В тысяча девятьсот девяносто вось**мом** году.

> *Месяц + год*
> **В месяце какого года**

05.1999 г.
В мае тысяча девятьсот девяносто девят**ого года.**

> *Число + месяц + год*
> **Какого числа какого месяца какого года**

7.07.1982 г.
Седь**мого** июля тысяча девятьсот восемьдесят втор**ого года.**

II. ПЕРИОД. Вопрос когда?

> *Год — год*
> **С какого года по какой год**

1978—1984 гг.
С тысяча девятьсот семьдесят восьм**ого по** восемьдесят четверт**ый** год.

> *Месяц + год — месяц + год*
> **С какого месяца какого года по какой месяц какого года**

01.1943 — 10. 1951

С января тысяча девятьсот сорок треть**его** года **по** октябрь пятьдесят пер**вого.**

> *Число + месяц — число + месяц + год*
> **С какого числа какого месяца по какое число какого месяца какого года**

14.02 — 30.03 1999 г.

С четырнадцатого **февраля по тридцатое марта** девяносто девят**ого года.**

23. ✎ *ПРОВЕРЬТЕ СЕБЯ.*
Прочитайте даты, ответив на вопрос когда?

а) 1903, 1997, 1900, 1939, 1833, 1111, 1690, 2000, 2001
б) 07.1982, 12.1985, 05.1990, 03.1891
в) 7.07.1982, 11.11.1955, 14.01.1961, 25.12.2000, 3.03.1978
г) 1978 — 1984, 1991 — 1996, 1939 —1945, 2003 — 2008
д) 01.1948 — 10.1951, 05.1980 — 12.1983, 02.1914 — 09.1919
е) 14.02 — 23.04. 1997, 1.10 — 17.11. 1998, 10 — 14. 07. 1990, 1 — 3. 05. 1995

24. ✔ *ВСПОМНИТЕ.*
Выражение времени в простом предложении. (Продолжение.)

III. ПЕРИОД. Сколько времени? — За сколько времени? — На сколько времени?

Три часа (месяца ...)	За три часа (месяца ...)	На три часа (месяца ...)
• Время, в течение которого происходит действие	• Время, нужное для того, чтобы закончить действие, которое названо глаголом	• Перспективное время, нужное для того, чтобы делать действие, которое не названо глаголом
Глаголы состояния: *быть, жить, работать, стоять, ждать, находиться* и т. д.	В основном глаголы совершенного вида	Глаголы изменения положения: *поехать, приехать, лечь, зайти* и т. д.

32

25. ✂ *ПРОАНАЛИЗИРУЙТЕ.*

Объясните использование различных способов выражения периода времени.

Я учился в Москве <u>три года</u>. <u>За три года</u> мне удалось закончить аспирантуру, но я не успел защитить диссертацию. Я собираюсь приехать в Москву <u>на полгода,</u> чтобы закончить и защитить диссертацию.

26. ✍ *ПРОВЕРЬТЕ СЕБЯ.*

Поставьте слова из скобок в правильную форму.

1. Я приехал в Россию (5 лет).
2. Мой отец проработал в этой компании (15 лет).
3. Я смог выучить русский язык (3 года).
4. Я зайду к тебе (несколько минут).
5. Летом мы поедем в Сочи (месяц).
6. Я собираюсь закончить аспирантуру (3 года).
7. Я ждал её (полчаса).
8. (Последнее время) я посмотрел три новых фильма.
9. Я взял у него кассету (неделя).
10. Вы можете доехать от университета до Красной площади (час).

27. ✔ *ВСПОМНИТЕ.*

Выражение времени в простом предложении. Вопрос когда?

Через + что?	После + чего?
• При указании на период времени: *через час, неделю, 2 минуты*	• При обозначении действия, события: *после занятий, после праздника*
	• При указании на период времени, который занят событием: *после трёх лет учёбы, после пяти минут отдыха*
	• При указании на время по часам: *после двух часов дня* (разг. *после двух*)

28. *ПРОВЕРЬТЕ СЕБЯ.*

Используйте данные слова и словосочетания в конструкциях времени «после + чего?» или «через + что?».

Лекция, день рождения, 2 часа, минута, несколько лет, минута молчания, ссора, тысячелетие, 11 часов вечера, перестройка, пять минут, 12 дней, короткий перерыв, обсуждение доклада, месяц, 7 часов интенсивной работы, зимние каникулы, окончание университета.

29. *ПРОВЕРЬТЕ СЕБЯ.*

Раскройте скобки. Грамматически правильно оформите различные способы выражения времени.

Мой отец часто работал за границей. (1990) он приехал работать в Японию. (Япония) он вернулся домой, а (9.1992 — 1.1994) был представителем своей компании на Тайване. Сразу (приезд) туда он начал заниматься подготовительной и организационной работой, и уже (3 месяца напряжённой работы) состоялось официальное открытие филиала их компании. (2 года) он приезжал домой только два раза. Первый раз он приехал (2 недели), а второй — (месяц). Сейчас он работает дома в Америке. Но недавно шеф предложил ему поехать в Россию (год). Отец должен дать ответ (10 дней). (Последнее время) это уже второе предложение поехать в Москву. В первый раз (год) мама была против, и отец отказался. Сейчас он тоже собирается принять окончательное решение только (серьёзный разговор) с мамой. Я не знаю, поедет он или нет, но я очень хочу поехать.

30. *РАССКАЖИТЕ.*

Задание 29 представлено в схематичной форме. Восстановите рассказ в полной форме.

Работа в Японии	— 1990
возвращение домой	— Япония
представитель компании на Тайване	— 9.1992 —1.1994.
подготовительная и организационная работа	— приезд
открытие филиала	— 3 месяца напряжённой работы
приезд домой два раза	— 2 года
первый приезд	— 2 недели
второй приезд	— месяц
поездка в Россию	— год
дать ответ	— 10 дней
второе предложение	— последнее время
отказ	— год
окончательное решение	— серьёзный разговор

31. ☺ *ВАША ВЕРСИЯ.*

Как вы думаете, какое решение принял его отец? Обоснуйте своё мнение.

Как называется компания, где работает его отец? Обоснуйте своё мнение.

Почему его отец принимает серьёзные решения только после разговора с женой?

32. ☼ *УЗНАЙТЕ.*
Получение информации.

Глаголы и конструкции

1. **Узнавать (узнать)** где? у кого? (от кого?) о чём?

Обычно я **узнаю** *о сроках* сессии *у секретаря* (от секретаря) *в деканате*, но в этот раз я **узнал** *у своего преподавателя*.

2. **Искать (найти) информацию, сведения** где? о чём?

Я долго **искал** и, наконец, **нашёл информацию** *о фирме в справочнике*.

3. **Обращаться (обратиться) за информацией, за сведениями** куда? к кому? о чём?

Я решил **обратиться за информацией** *об экскурсиях* за границу *в турагентство*.

4. **Получать (получить) информацию, сведения** где? у кого? (от кого?) о чём?

Я **получил информацию** *о рейсах у девушки в справочной*.

5. **Предоставлять (предоставить) информацию** кому? о чём?

Я готов **предоставить** *вам* всю **информацию** *о нашей фирме*.

6. **Выяснять (выяснить)** где? у кого? что?

Я **выяснил** *у друга, где находится* спорткомлекс.

7. | **Уточнять (уточнить) информацию** о чём? у кого? где? |

Мне необходимо **уточнить информацию** *о вылете* рейса *в справочном бюро.*

8. | **Собирать (собрать) информацию** о чём? |

Я всю жизнь **собираю** интересные **сведения** *о периоде* второй мировой войны.

Определение информации

информация = сведения
(только ед. ч.) (только мн. ч.)

полная — неполная
конкретная
нужная (необходимая)
ложная — правдивая
проверенная — непроверенная
подробная (детальная)
сомнительная

Идиомы

Узнать
Выяснить | информацию
Получить | сведения

из первых рук
из третьих рук

33. ✎ *ПРОВЕРЬТЕ СЕБЯ.*
   Вставьте нужные слова. Используйте информацию из задания 32.

Когда я твёрдо решил продолжать учиться в Москве, я начал … обо всех университетах и институтах, где есть экономические факультеты. Я хотел как можно больше … об уровне подготовки специалистов. Сначала я … в американское посольство, там я … о самых престижных экономических вузах, диплом которых признаётся в мире. Я решил поехать туда сам и всё … из первых рук. Я … адреса этих университетов у секретаря и решил начать с МГУ. Декан экономического факультета … о программе подготовки, об условиях оплаты и проживания.

Постепенно я … обо всех вузах и, в конце концов, остановился на МГИМО. Как вы думаете, почему?

34. 🐸 *ПРЕДСТАВЬТЕ СЕБЯ НА МЕСТЕ ДРУГОГО И РАССКАЖИТЕ.*
Представьте, что вы работаете в посольстве, и расскажите о том, как молодой американец искал информацию о российских вузах.

35. ☺ *ВАША ВЕРСИЯ.*
Ответьте на вопрос в рассказе-упражнении 33. Если сможете, то оцените его выбор. Какой вуз вы бы выбрали на его месте? Обоснуйте своё мнение.

36. ✍ *ПРИДУМАЙТЕ И ЗАПИШИТЕ.*
Составьте и запишите рассказ о том, как вы искали интересующую вас информацию. Постарайтесь использовать максимум слов из задания 32.

ДИАЛОГИ

— Здравствуйте.
— Здравствуйте. Чем я могу вам помочь?
— Я решил учиться в Москве и поступить на экономический факультет. Поэтому я хотел бы получить подробную информацию о вашем факультете.
— Что конкретно вас интересует?
— Прежде всего меня интересует программа обучения, возможность практики или стажировки.
— Вот справочник-буклет для желающих поступить на наш факультет. Думаю, что здесь вы найдёте все интересующие вас сведения.
— Спасибо. Ещё я хотел бы выяснить условия оплаты и проживания. Мне хотелось бы жить в общежитии.
— В буклете вы найдёте сведения и об этом тоже. Если вам будет что-то неясно, вы всегда сможете уточнить информацию у меня или у моего помощника.
— Спасибо большое за помощь. До свидания.
— До свидания. Рада была вам помочь.

— Здравствуйте.
— Здравствуйте. Что вы хотите узнать?
— Я хотел бы уточнить время, когда мне привезут купленный компьютер.
— Вы ошиблись. Вам нужно обратиться в отдел доставки.
— Но где я могу узнать номер их телефона? У меня есть только ваш.

— Не волнуйтесь, я вам дам. Записывайте.

— Спасибо и извините за беспокойство.

— Пожалуйста.

37. ✍ *ЗАПИШИТЕ.*

Передайте содержание каждого диалога в форме мини-рассказа и запишите их в тетрадь.

38. ☞ ☜ *СИТУАЦИЯ.*

Вы — бизнесмен и после напряжённой работы хотите провести отпуск за границей.

Ваша задача — обратиться в турагентство, объяснить, что конкретно вы хотите, и выяснить наиболее подходящие для вас варианты отдыха.

Вы — сотрудник небольшого турагентства.

Ваша задача — предложить клиенту все варианты отдыха и убедить его, что именно ваша фирма организует самый комфортабельный отдых за границей.

39. 👍 *МЫ ВАС СЛУШАЕМ. ВЫСКАЖИТЕСЬ.*

Выберите одну из тем и выскажитесь по ней. Время — 5 минут.

✗ Моя учёба в университете.

✗ Мои друзья.

✗ Дружба: важно или нет?

✗ Как я искал информацию о…

✗ Деньги и долги.

🔑 *КЛЮЧИ К ЛЕКСИКО-ГРАММАТИЧЕСКИМ ЗАДАНИЯМ*

10. Поговорить об этом с родителями, разговор, отговаривала меня от покупки, уговаривать их, говорили, договорить, договорились обо всём, переговорил со своим другом, сказала, не проговориться об этом папе.

15. Уговоры, договор, переговоры, выбор, выборы, сборы;
дружба, просьба, служба, борьба, стрельба;
проверка, оценка, поездка, покупка, уборка;
создание, название, опоздание, обещание;
решение, управление, предложение, выступление, поступление, обсуждение;
открытие.

16. 1. Сейчас идёт активное развитие компьютерных технологий. 2. Я не могу дать правильную оценку ситуации в России. 3. Человек должен вести борьбу за себя, за своё будущее. 4. За последнее время произошло снижение уровня жизни. 5. После того как я закончу учиться, я собираюсь отправиться в путешествие. 6. Наша футбольная команда одержала победу в этом матче. 7. Мне кажется, что я сделал правильный выбор профессии. 8. Сейчас в Москве идёт подготовка к празднику. 9. За последнее время в жизни России произошли сильные изменения. 10. Он послал нам приглашение на свой день рождения. 11. Перед открытием выставки президент фирмы выступил с речью. 12. После того как стороны провели обсуждение двусторонних проблем, началась пресс-конференция. 13. Руководители приняли решение встретиться через неделю. 14. Он дал обещание никогда больше не возвращаться к тому разговору.

19. О своей проблеме, свой компьютер, его проблему, своё решение, от моего варианта, своя голова, своими идеями, по-своему, у своих родителей, себе новый компьютер, его идея, мой вариант.

О своей проблеме, мой компьютер, его проблему, своё решение, от моего варианта, своя голова, своими идеями, по-своему, у своих родителей, мне новый компьютер, его идея, мой вариант.

23. а) В тысяча девятьсот третьем году, в тысяча девятьсот девяносто седьмом году, в тысяча девятисотом году, в тридцать девятом году, в тысяча восемьсот тридцать третьем году, в тысяча сто одиннадцатом году, в тысяча шестьсот девяностом году, в двухтысячном году, в две тысячи первом году;

б) в июле тысяча девятьсот восемьдесят второго года, в декабре восемьдесят пятого года, в мае девяностого года, в марте тысяча восемьсот девяносто первого года;

в) седьмого июля тысяча девятьсот восемьдесят второго года, одиннадцатого ноября пятьдесят пятого года, четырнадцатого января шестьдесят первого года, двадцать пятого декабря двухтысячного года, третьего марта семьдесят восьмого года;

г) с тысяча девятьсот семьдесят восьмого по восемьдесят четвертый год, с девяносто первого по девяносто шестой год, с тридцать девятого по сорок пятый год, с две тысячи третьего по две тысячи восьмой год;

д) с января сорок восьмого по ноябрь пятьдесят первого года, с мая восьмидесятого по декабрь восемьдесят третьего года, с февраля четырнадцатого по сентябрь девятнадцатого года;

е) с четырнадцатого февраля по двадцать третье апреля девяносто седьмого года, с первого октября по семнадцатое ноября девяносто восьмого года, с десятого по четырнадцатое июля девяностого года, с первого по третье мая девяносто пятого года.

26. 1. На 5 лет; 2. 15 лет; 3. за 3 года; 4. на несколько минут; 5. на месяц; 6. за 3 года; 7. полчаса; 8. за последнее время; 9. на неделю; 10. за час.

28. После лекции; после дня рождения; через 2 часа; через минуту; через несколько лет; после минуты молчания; после ссоры; через тысячелетие; после одиннадцати часов вечера; после перестройки; через пять минут; через двенадцать дней; после короткого перерыва; после обсуждения доклада; через месяц; после семи часов интенсивной работы; после зимних каникул; после окончания университета.

29. В тысяча девятьсот девяностом году; после Японии; с сентября девяносто второго по январь девяносто четвёртого года; после приезда; после трёх месяцев напряжённой работы; за два года; на две недели; на месяц; на год; через 10 дней; за последнее время; год назад; после серьёзного разговора.

33. Искать полную информацию, узнать, обратился за информацией, получил сведения, узнать, выяснил, предоставил мне полную информацию, собрал информацию.

III. МОЙ УНИВЕРСИТЕТ

РАССКАЗ И ЗАДАНИЯ К НЕМУ

ИСТОРИЯ И СЕГОДНЯШНИЙ ДЕНЬ МОЕГО УНИВЕРСИТЕТА

Мне кажется, что все студенты должны знать историю своей alma mater и гордиться ею. Мы все знаем, как гордятся своими университетами выпускники и студенты Кембриджа, Оксфорда, Принстона и других всемирно известных университетов. Конечно, мой университет не такой старый и известный, как они, но у него тоже есть своя интересная история.

Наш университет (тогда институт) был создан на базе международного факультета МГУ в октябре 1944 года. В то время заканчивалась вторая мировая война, и уже было понятно, что после войны должна будет измениться вся система международных отношений. Поэтому правительством СССР было принято решение создать специальный институт для подготовки высококлассных специалистов в области международных отношений, которые будут профессионально защищать интересы страны.

В первом учебном году 200 советских студентов, которые прошли жёсткий, в том числе и идеологический, отбор, начали учиться на трёх факультетах: международном, экономическом и правовом. Через два года к ним присоединились первые студенты-иностранцы.

В дальнейшем, в пятидесятых годах, МГИМО был объединён с Институтом востоковедения и Институтом внешней торговли. В 1969 году был открыт факультет журналистики, а в 1993 году — факультет международного бизнеса и делового администрирования.

Говорят, что МГИМО был самым престижным и элитарным вузом в Советском Союзе. Многие стремились поступить сюда, конкурс был огромным. Не знаю точно, какое место мой университет занимает в рейтинге престижности сейчас, но и сегодня конкурс для русских ребят очень большой, особенно на факультеты права и экономический. Ребят привлекает сюда возможность не только получить хорошие специальные знания, но и изучить один или несколько иностранных языков. Сейчас МГИМО — единственный университет в мире, где преподаётся около 50 иностранных языков.

Для студентов и преподавателей очень важно, что университет активно сотрудничает со многими известными зарубежными университетами и международными организациями. Благодаря этому ребята имеют возможность стажироваться за границей, участвовать в международном информационном обмене. В университете часто проходят международные конференции и семинары, приезжают и выступают перед студентами известные люди: президенты и премьер-министры многих стран.

У выпускников нет проблем с устройством на работу. С нашим дипломом можно найти высокооплачиваемую, интересную и перспективную работу практически во всём мире. За 50 лет жизни института его окончили 26 000 выпускников, среди которых министры, президенты банков и телекомпаний, политики, дипломаты, журналисты, деловые люди. Часто наших выпускников можно видеть в программах новостей по телевизору. Это приятно. Может быть, и я когда-нибудь стану большим человеком, и меня покажут по телевизору.

Конечно, сейчас в университете немало проблем: общежитие, компьютерная база, перегруженность программы. Но где их нет? Главное, что наш университет старается сделать всё возможное, чтобы решить эти проблемы.

1. 📖 *ПРОЧИТАЙТЕ.*
Внимательно прочитайте рассказ.

2. ✖ *ПРОАНАЛИЗИРУЙТЕ.*
Выделите в рассказе информационные части. Коротко сформулируйте содержание каждой из них. Начните: «В первой части рассказа говорится о …».

3. 🗁 *РАССКАЖИТЕ.*
Передайте информацию из рассказа, которая связана со следующими датами и цифрами.

10.1944
200
50-е гг.
1969
1993
50
50 лет — 26 000

4. ❓*ОТВЕТЬТЕ НА 4 «ПОЧЕМУ».*
При ответе используйте информацию из текста.

Почему правительство СССР приняло решение создать Институт международных отношений?

Почему сейчас молодые люди стремятся поступить в МГИМО?

Почему у выпускников университета нет проблем с устройством на работу?

Почему важно, что университет сотрудничает со многими университетами и международными организациями?

5. ☺ *ВАША ВЕРСИЯ.*
При ответе выскажите собственное мнение.

Почему студенты Кембриджа, Оксфорда, Принстона гордятся своими университетами?

Почему 200 студентов, которые начали учиться в новом институте, прошли жёсткий контроль?

Почему МГИМО был самым престижным и элитарным вузом в СССР?

Почему сейчас в университете есть много проблем?

6. ☻ *ВОЗРАЗИТЕ ИЛИ СОГЛАСИТЕСЬ.*
Обоснуйте своё мнение.

Студенты должны знать и гордиться историей своей alma mater.

У МГИМО есть своя интересная история.

После войны вся система международных отношений изменилась.

Сейчас МГИМО — самый престижный вуз в России.

Обычно у выпускников университетов нет проблем с устройством на работу.

Во всех университетах России сейчас есть большие проблемы.

Конечно, в университете немало проблем, но где их нет.

Хорошо, когда тебя показывают по телевизору.

7. ✍ *ПОСТАРАЙТЕСЬ ОБЪЯСНИТЬ.*
Что имел в виду Стив, когда говорил:

Студенты проходили жёсткий, идеологический отбор.

Конкурс в наш институт был огромный.

МГИМО — престижный и элитарный вуз.

С нашим дипломом без труда можно найти перспективную работу.

8. ✉ *РАССКАЖИТЕ:*

❑ об университете или институте, где вы учитесь или учились;
❑ о самом известном и престижном университете в вашей стране;
❑ о самом известном и престижном университете в мире;
❑ об идеальном, на ваш взгляд, университете;
❑ о типичных университетских проблемах.

9. ☎ ПОГОВОРИМ.

Почему вы выбрали для учёбы именно этот университет? Что конкретно повлияло на ваш выбор?

Довольны ли вы вашим университетом, уровнем подготовки и преподавания? Объясните почему.

Какие проблемы есть в вашем университете? Каким образом вы предлагаете их решить?

В каком университете мира вы мечтали бы учиться? Почему? Что вам помешало поступить туда?

Как вы думаете, будут ли у вас проблемы с устройством на работу? Объясните почему.

Где, по-вашему, лучше учиться: в частном или государственном университете? Объясните почему.

10. ☞ ✎ СИТУАЦИЯ.

Вы — ректор университета.

Ваша задача — убедить представителя известного зарубежного университета в необходимости сотрудничать с вашим университетом и предложить разные направления такого сотрудничества.

Вы — представитель известного зарубежного университета.

Ваша задача — получить максимум информации об университете, который предлагает вам сотрудничество, взвесить все плюсы и минусы и принять решение.

ЛЕКСИКО-ГРАММАТИЧЕСКИЕ ЗАДАНИЯ

11. ☼ УЗНАЙТЕ.
Глагол думать с приставками.

1.

> **Думать (подумать)** о чём?

Я не хочу **думать** *об этом* сейчас, я подумаю об этом завтра.

2.

> **Обдумывать (обдумать)** что?
> *Значение: со всех сторон, тщательно*

Я не могу сразу принять решение, сначала я должен **обдумать** *ваше предложение*.

44

3. **Придумывать (придумать)** что?
   Значения:
   - *изобрести, создать*
   - *найти решение*
   - *создать то, чего нет на самом деле*

Я не знаю, кто **придумал** (*изобрёл, создал*) компьютер.

Он никак ни мог **придумать** (*найти решение*), что можно сделать в этой ситуации.

Мы вместе **придумали** (*создали то, чего нет на самом деле*) эту историю.

4. **Передумать (передумывать)** + инф. НВ
   Значение: подумав, изменить решение

Неожиданно он **передумал** *ехать* с нами в Москву.

5. **Раздумать** (только СВ) + инф. НВ
   Значение: отказаться от намерения что-то сделать

Он **раздумал** *изучать* третий иностранный язык.

6. **Раздумывать** (только НВ) над чем?
   Значение: долго думать над чем-либо

Он **раздумывал** *над этой проблемой* два дня, но так и не нашёл никакого решения.

7. **Задумываться (задуматься)** о чём?
   Значение: предаться глубоким размышлениям

Я начал **задумываться** *о своей будущей профессии* только после окончания школы.

Он **задумался** *о чём-то* и не услышал, что сказал преподаватель.

8. **Вдумываться (вдуматься)** во что?

Чтобы понять эту фразу, вам надо **вдуматься** *в неё*.

Вчера он так устал, что не мог **вдуматься** *в то, что вы говорили*.

Внимание!

> *Синонимы!*
> Раздумать — передумать

12. ✍ *ПРОВЕРЬТЕ СЕБЯ.*
Вставьте нужные слова. Используйте информацию из задания 11.

Скоро у нас будут летние каникулы, и мой друг предложил мне поехать на озеро Байкал. Честно говоря я … , что летом поеду в Европу, и даже уже договорился об этом с сестрой. Но всё-таки я решил не отказываться сразу, а … его предложение. Чем больше я … над этим, тем больше мне нравилась эта идея. В конце концов я согласился, но мне надо было … , что сказать сестре и как объяснить ей, почему я … ехать в Европу. Сначала я решил … какую-нибудь историю, например, что я заболел или должен работать летом. Но потом … , потому что понял, что не хочу обманывать свою любимую сестру. Я … другой вариант. Но тут пришёл мой друг и сказал: «Хватит … над ерундой. Возьмём её с собой и поедем вместе».

13. ✌ *ПРЕДСТАВЬТЕ СЕБЯ НА МЕСТЕ ДРУГОГО.*
Представьте, что вы его сестра. Расскажите об этой проблеме с её позиции.

14. ✍ *ПРИДУМАЙТЕ И ЗАПИШИТЕ.*
Придумайте и запишите мини-историю о том, как вы обдумывали какое-либо предложение. Постарайтесь использовать максимум слов из задания 11.

15. ☎ *ПОГОВОРИМ.*

Как вы думаете, какой вариант решения проблемы придумал герой?
Как бы вы решили эту проблему?
Что бы вы выбрали: путешествие летом в Европу или на озеро Байкал? Объясните почему.

16. ✋ *ОБЪЯСНИТЕ И ЗАПОМНИТЕ.*
Хорошие русские пословицы. Согласны ли вы с ними? Есть ли в вашем языке аналогичные пословицы? Попробуйте сформулировать их по-русски.

Ум хорошо, а два лучше.
По одёжке встречают, по уму провожают.

17. ✔ *ВСПОМНИТЕ И УЗНАЙТЕ + ПРОВЕРЬТЕ СЕБЯ.*
Качественные прилагательные. Заполните таблицы.

Глагол	Прилагательное	Краткая форма прилагательного
Разговаривать Задумываться Доверять Уступать Настаивать Забывать Изменяться	Разговорчивый	Разговорчив
Молчать Лениться Заботиться Болтать Терпеть	молчаливый	молчалив

Существительное	Прилагательное	Краткая форма прилагательного
Счастье Дождь Зависть Талант Расчёт Трудолюбие	Счастливый	Счастлив

18. ✆ *ПРОВЕРЬТЕ СЕБЯ.*
Измените предложения по модели.

Модель: Она так любит поболтать.

- ▸ Она такая болтливая.
- ▸ Она так болтлива.

1. Погода в Москве всё время меняется.
2. Очевидно, что у него есть большой талант к музыке.
3. Сегодня опять идёт сильный дождь.
4. Почему он так долго всё терпит?
5. Я не люблю людей, которые всё делают по расчёту.
6. Люди, которые так завидуют другим, очень несчастны.
7. Он всегда всё забывает.

8. Все женщины очень любят поболтать.
9. Он всегда умел настаивать на своём.
10. Маленькие дети сильно надоедают.

19. 〜 *ПОФАНТАЗИРУЙТЕ.*
   Используя слова из задания 17, опишите этих людей:

⫽ человека, у которого есть серьёзная проблема;
⫽ ребёнка;
⫽ молодую девушку;
⫽ вашего друга;
⫽ себя самого;
⫽ прогульщика;
⫽ модного певца;
⫽ спортсмена.

20. ✍ *ПОЙМИТЕ РАЗНИЦУ.*
   Выражение взаимного действия (друг друга). Прилагательное другой.

Друг друга	Другой (человек) — Другие (люди) Другое (что-то)
○ ⇄ ○	○ ⟶ ○
Мы любим друг друга. Мы пишем друг другу. Мы думаем друг о друге. Мы живём друг для друга.	Я люблю другого (человека). Я пишу другому (человеку). Я думаю о других (людях). Я спрашиваю о другом.

21. ✎ *ПРОВЕРЬТЕ СЕБЯ.*
   Вставьте нужные слова. Пользуйтесь информацией из задания 20.

Монолог о любви
   У меня есть любимая девушка. Мы часто встречаемся … . Когда мы далеко … , то часто пишем и звоним … . Я часто думаю: «Что такое любовь?». Мне кажется, что любовь — это когда люди не могут жить … . Но не только это. Любовь — это когда люди готовы разделить … всё, что у них есть: счастье и несчастье, богатство и бедность, здоровье и болезнь, мысли, даже жизнь. Отдавать … всё, что есть, и не думать о награде. Любовь — это умение прощать … многое, но не всё. Но иногда мне кажется, что моя любимая думает о любви по-другому.

Монолог об эгоизме

Эгоист не может любить, потому что он не может отдавать … всё. Сначала он должен подумать о себе, а потом о … . Он может работать с … , иногда помогать … , если ему это выгодно, но по-настоящему любить … он не может. Он не может жить … , но только потому, что … можно что-то получить. Если ничего получить нельзя, он ищет … . Жизнь эгоиста — это жизнь с … , но для себя.

22. ПРЕДСТАВЬТЕ СЕБЯ НА МЕСТЕ ДРУГОГО.

Вы — любимая девушка нашего героя. Расскажите о том, что вы думаете о любви.

Вы — эгоист и не скрываете этого. Расскажите о своём отношении к жизни так, чтобы убедить других в том, что эгоизм в современной жизни — это нормально.

23. ПОГОВОРИМ.

Согласны ли вы с тем, как понимает любовь наш герой? Обоснуйте своё мнение.

Согласны ли вы с тем, что «любовь бывает разная»? Обоснуйте своё мнение.

Что такое идеальная любовь? Бывает ли она?

Верите ли вы в любовь с первого взгляда?

Как вы понимаете, что такое любовь?

Как вы относитесь к выражению: «Любовь приходит и уходит, а кушать хочется всегда»? Как вы думаете, кому оно могло бы принадлежать?

Что вы думаете об эгоистах? Нужно ли иногда быть эгоистом? В каких случаях?

Как вы понимаете выражение «здоровый эгоизм»?

Понимаете ли вы разницу между словами «эгоист» и «эгоцентрист»? Объясните эту разницу.

Встречали ли вы в своей жизни эгоцентристов? Расскажите о своём общении с ними.

24. ПРИДУМАЙТЕ И ЗАПИШИТЕ.

Придумайте рассказ о любви, который заканчивается так:

✎ «В конце концов они поженились, жили долго-долго и умерли в один день и их последними словами были: „Боже, мы так любили друг друга"».

✎ «Он так сильно любил себя, что жил долго-долго, умер в полном одиночестве и последними его словами были: „Боже, я так люблю себя"».

25. ✔ *ВСПОМНИТЕ.*
Активные и пассивные конструкции.

Время	Несовершенный вид, актив (глагол)	Несовершенный вид, пассив (глагол)
Настоящее	Сейчас президент банка **реформирует** структуру банка.	Сейчас структура банка **реформируется** (президентом).
Прошедшее	Раньше президент уже **реформировал** структуру банка.	Раньше структура банка уже **реформировалась**.
Будущее	Через год президент **будет реформировать** структуру банка.	Через год структура банка **будет реформироваться**.

Время	Совершенный вид, актив (глагол)	Совершенный вид, пассив (краткая форма причастия)
Настоящее	—	—
Прошедшее	Отец **создал** фирму.	Фирма **создана** (отцом). Фирма **была создана.**
Будущее	В следующем году отец **создаст** фирму.	В следующем году фирма **будет создана.**

26. ✎ *ПРОВЕРЬТЕ СЕБЯ.*
Раскройте скобки, используя пассивные или активные конструкции.

В 1997 году (отмечать) юбилей Москвы — 850 лет. Но недавно я прочитал книгу, где (написать), что точная дата образования Москвы неизвестна. (Считать), что Москва (основать, Юрий Долгорукий) в 1147 году. Почему именно в 1147? Потому что в Ипатьевской летописи (записать) о том, что в 1147 году князь Святослав (пригласить, Юрий Долгорукий) к себе «в Москов». Это значит, что в то время Москва уже существовала и была известна жителям других городов. В приглашении даже не (объяснять), где она находится. В наше время этот факт подтвердился. (Архитекторы, найти) деревянные фрагменты крепости XI века. Поэтому учёные считают, что Москве уже тысяча лет. Мне

нравится жить в таком старом городе, потому что в Америке нет по-настоящему старых городов.

27. ⌒ *РАССКАЖИТЕ.*

Перед вами пассивные конструкции, которые выписаны из задания 26.
Используйте их и расскажите текст.

Отмечался, было написано, была основана, было записано, был
приглашён, была известна, не объяснялось, подтвердился, были найдены.

28. ⌒ *РАССКАЖИТЕ.*

Максимально используйте пассивные конструкции и для рассказа об ис-
тории:

❑ вашего родного города;
❑ города, где вы сейчас учитесь или работаете;
❑ об истории университета, в котором вы учитесь (или учились).

29. ⁓ *ПОФАНТАЗИРУЙТЕ.*

Как вы думаете, почему именно так были названы:

⫽ Красная площадь;
⫽ Театральная площадь;
⫽ Станция метро «Пушкинская»;
⫽ Наша страна Россия, а ваша … ;
⫽ Санкт-Петербург;
⫽ Третьяковская галерея.

30. ☼ *УЗНАЙТЕ.*

Как выразить своё мнение и узнать о мнении другого.

1. | **По-моему (по-твоему, по-вашему)** |

Вопрос: — Как, **по-вашему**…?

2. | **По моему мнению**
По мнению кого? |

Вопросы: — Как, **по вашему мнению**… ?
            — Как, **по мнению** *президента*…?

3. **На мой взгляд**
   На взгляд кого?

Вопросы: — Как, **на ваш взгляд**…?
— Как, **на взгляд** *иностранца*…?

4. **С моей точки зрения**
   С точки зрения кого?

Вопросы: — Как, **с вашей точки зрения**… ?
— Как, **с точки зрения** *учёных*…?

5. **Мне кажется**, что …
   Казаться кому? каким?

Вопросы: — Как вам **кажется** (+ предложение)?
— Идея вам **кажется** *интересной?*

6. **Считать**, что …
   кого? каким?

Вопросы: — Как вы **считаете** (+ предложение)?
— Вы **считаете** *его умным?*

7. **Думать**, что …
   о чём?
   на счёт чего?
   по поводу чего?

Вопросы: — Как вы **думаете** (+ предложение)?
— Что вы **думаете** о… (+ сущ.)?
— Что вы **думаете** *на счёт этого?*
— Что вы **думаете** *по поводу этого?*

8. **Находить**, что…
   кого? что?

Вопросы: — Как вы **находите** (+ предложение)?
— Как вы **находите** *наш город?*

9. **Утверждать**, что…

Вопрос: — Что вы **утверждаете?**

31. ☙ *ПРОВЕРЬТЕ СЕБЯ + УГАДАЙТЕ.*

Перед вами высказывания разных людей. Подумайте, кому из них принадлежат эти высказывания. Соедините информацию правой и левой части в одно предложение.

Уинстон Черчиль	Любви все возрасты покорны.
Пушкин	Политика — грязная игра.
Иностранные студенты	Родителей отсталыми людьми.
Учёные	Русский язык трудным.
Мэр Москвы	В политике нет друзей, а есть только интересы.
Подростки	Экологическая катастрофа неизбежна.
Маргарет Тэтчер	Москва — самый лучший город в мире.
Древневосточный поэт	Красота спасёт мир.
Достоевский	Если тебя ударили по правой щеке, то ты должен подставить левую.
Деловые люди	Время — деньги.
Толстой	Одиночество лучше, чем плохой друг.

32. ☎ *ПОГОВОРИМ.*

Выскажите и обоснуйте своё мнение по поводу высказываний, приведённых в задании 30. Узнайте мнение своих друзей на счёт высказываний, которые кажутся вам наиболее интересными или спорными.

33. ✗ *ПОСПОРИМ.*

Выберите из двух противоположных мнений то, которое вам ближе, и аргументированно отстаивайте его.

Вы считаете, что для любви нет понятия возраста. Влюбиться можно и в 5 лет, и в 75. Главное — это молодость души и готовность к любви.
Ваша цель — убедить друга в том, что это так. Приведите этому конкретные примеры.

Вы считаете, что любовь возможна только в молодости. Дело пожилых и стариков — воспитывать внуков, путешествовать или заниматься хобби. Всё, что угодно, но только не любовь.
Ваша цель — убедить друга в том, что вы правы. У вас также есть примеры, которые помогут вам это доказать.

ДИАЛОГ

— Как ты думаешь, сколько лет Москве?
— Я не думаю, а точно знаю, что ей исполнилось 850 лет.
— Не надо быть таким самоуверенным. Откуда ты это знаешь?

— Это общеизвестно. В 1997 году был отмечен юбилей. Ты забыл, как здорово мы погуляли?
— А как, по-твоему, узнали, что Москва была образована именно 850 лет назад?
— Слушай, я не понимаю, почему это тебя так интересует?
— На мой взгляд, надо хотя бы немного знать историю города, в котором живёшь.
— А я считаю, что совсем не обязательно. Я нахожу глупым тратить время на выяснение ненужной информации об истории города, особенно чужого. Вот современная ситуация в Москве и в России — это интересно и полезно.
— Мне кажется, мы никогда не поймём друг друга.
— Конечно, не поймём, если ты не можешь обосновать своё мнение.
— Могу. Но говорить с тобой об этом совершенно бесполезно. Ты — прагматик.
— Ладно, романтик, мне пора работать. Если найдёшь аргументы, приходи, и мы ещё поспорим.

34. ✍ *ЗАПИШИТЕ.*
Передайте содержание диалога в форме мини-рассказа. Запишите его.

35. ✗ *ПОСПОРИМ.*
Из двух противоположных мнений выберите то, которое вам ближе, и аргументированно отстаивайте его.

Вы — человек, который считает, что, если ты живёшь в другой стране и другом городе, то необходимо знать их историю.
Ваша цель — убедить в этом своего друга.

Вы — человек, который считает, что узнавать об истории чужой страны или города — это ненужно и неинтересно. Интереснее следить за развитием сегодняшней ситуации.
Ваша цель — убедить друга в том, что вы правы.

36. ☝ *МЫ ВАС СЛУШАЕМ. ВЫСКАЖИТЕСЬ.*
Выберите одну из тем и выскажитесь по ней. Время — 5 минут.

✗ История вашего университета.
✗ Проблемы вашего университета.
✗ Любовь.
✗ Эгоизм и эгоисты.

✗ Возраст и история Москвы.
✗ История вашего родного города.
✗ Нужно или нет знать историю города, в котором живёшь?

🔑 КЛЮЧИ К ЛЕКСИКО-ГРАММАТИЧЕСКИМ ЗАДАНИЯМ

12. Думал, обдумать, раздумывал, придумать, раздумал, придумать, передумал, придумал, раздумывать.

17. Задумчивый — задумчив, доверчивый — доверчив, уступчивый — уступчив, настойчивый — настойчив, забывчивый — забывчив, изменчивый — изменчив; ленивый — ленив, заботливый — заботлив, болтливый — болтлив, терпеливый — терпелив.
Дождливый — дождлив, завистливый — завистлив, талантливый — талантлив, расчётливый — расчётлив, трудолюбивый — трудолюбив.

18. 1. Погода в Москве такая изменчивая. — Погода в Москве так изменчива.
2. Очевидно, что он такой талантливый музыкант. — Очевидно, что он так талантлив в музыке.
3. Сегодня такая дождливая погода. — Сегодня так дождливо.
4. Почему он такой терпеливый? — Почему он так терпелив?
5. Я не люблю таких расчётливых людей. — Я не люблю людей, которые так расчётливы.
6. Такие завистливые люди — такие несчастные. — Люди, которые так завистливы, так несчастны.
7. Он такой забывчивый. — Он так забывчив.
8. Все женщины такие болтливые. — Все женщины так болтливы.
9. Он всегда был такой настойчивый. — Он всегда был так настойчив.
10. Маленькие дети такие надоедливые. — Маленькие дети так надоедливы.

21. *Монолог о любви.* Друг с другом, друг от друга, друг другу, друг без друга, друг с другом, друг другу, друг другу.
Монолог об эгоизме. Другому (другим), о другом (о других), с другим (с другими), другому (другим), другого (других), без другого (без других), от другого (от других), другого (других), с другим (с другими).

26. Отмечался, было написано, считается, была основана Юрием Долгоруким, было записано, был приглашён Юрием Долгоруким, не объяснялось, архитекторами были найдены.

31. Уинстон Черчиль считал, что политика — грязная игра.

Пушкин утверждал, что любви все возрасты покорны.

Иностранным студентам кажется, что русский язык трудный.

По мнению учёных, экологическая катастрофа неизбежна.

Мэр Москвы думает, что Москва — самый лучший город в мире.

Подростки считают родителей отсталыми людьми.

Маргарет Тэтчер находила, что в политике нет друзей, а есть только интересы.

На взгляд древневосточного поэта, одиночество лучше, чем плохой друг.

С точки зрения Достоевского, красота спасёт мир.

По мнению деловых людей, время — деньги.

Толстой был уверен, что, если тебя ударили по правой щеке, то ты должен подставить левую.

IV. УЧЁБА ПОСЛЕ ЗАНЯТИЙ

Никто не спорит, что учёба — это важнейшая часть жизни студента, но учиться можно и после занятий. Я решил, что должен использовать любую возможность, чтобы научиться ещё чему-нибудь интересному и полезному. Возможно, что после окончания университета у меня просто не будет времени для этого. Поэтому я сказал себе: «Учись, пока молодой». Согласны? Итак, я хочу рассказать вам где, как и чему ещё я учусь.

РАССКАЗ И ЗАДАНИЯ К НЕМУ

УЧУСЬ В БИБЛИОТЕКЕ

Я предпочитаю делать домашние задания, писать доклады и курсовые работы в нашей библиотеке, потому что в общежитии заниматься невозможно: шумно и постоянно кто-то отвлекает. А заниматься в библиотеке я люблю. Там тихо, спокойно и можно полностью сконцентрироваться на работе.

Я не могу сказать, что наша университетская библиотека — самая богатая и самая современная библиотека в Москве. Здесь тоже мало компьютеров, поэтому иногда нужную книгу приходится долго искать. Библиотека была основана одновременно с созданием института в 1944 году. Сейчас здесь хранится около 700 000 книг, из них 45% составляют учебники; 13% книг было опубликовано за границей. Большинство книг — это профессиональная литература, но есть и художественные, исторические книги, потому что мы изучаем много предметов, связанных с литературой и историей. В библиотеке есть очень редкие книги, многие из которых опубликованы в прошлых веках.

Структура библиотеки проста и удобна. Обычно я заказываю нужную книгу и иду в читальный зал. Часто я захожу в зал периодики, чтобы почитать свежие журналы и газеты как на русском, так и на других языках.

Ещё в нашей библиотеке работают очень хорошие сотрудники. Я знаю, что у них маленькие зарплаты, но это не мешает им быть вежливыми и приятными. Они всегда готовы помочь найти нужную книгу, объяснить, как пользоваться фондами и ориентироваться в библиотеке. Часто девушки, которые работают в читальном зале, объясняют мне непонятные русские слова и выражения.

1. 📖 *ПРОЧИТАЙТЕ.*
   Внимательно прочитайте рассказ.

2. **?** *ОТВЕТЬТЕ НА 3 «ПОЧЕМУ».*

При ответе используйте информацию из рассказа.
Почему он считает, что лучше заниматься в библиотеке, чем в общежитии?
Почему он говорит, что их библиотека не самая современная?
Почему он считает, что в библиотеке работают хорошие сотрудники?

3. ☺ *ВАША ВЕРСИЯ.*
   При ответе выскажите собственное мнение.

Почему библиотека была открыта одновременно с открытием института?
Почему у сотрудников библиотеки маленькие зарплаты?

4. ☎ *ПОГОВОРИМ.*
   Обоснуйте своё мнение.

Где вы предпочитаете заниматься — в общежитии или в библиотеке? Почему?
Что вам нравится и что вам не нравится в вашей библиотеке?
Вы можете сказать, что в вашей библиотеке работают приятные и вежливые сотрудники? Докажите это.

5. 〰 *ПОФАНТАЗИРУЙТЕ.*
   Опишите, как вы себе представляете:

⫽ библиотеку в университете прошлого века;
⫽ идеальную библиотеку сегодня;
⫽ библиотеку XXI века;
⫽ хорошую домашнюю библиотеку.

ЛЕКСИКО-ГРАММАТИЧЕСКИЕ ЗАДАНИЯ

6. ☼УЗНАЙТЕ.
Глагол **писать** *с приставками. Отглагольные существительные.*

1. | **Писать (написать)** что? о чём? кому? |

Он **написал** *мне письмо о своей учёбе* в Москве.

| **Письмо** кому? о чём? |

Он **написал** *мне* подробное **письмо** *о своих планах.*

2. | **Выписывать (выписать)** что? откуда? |

Я **выписал** *эти слова из словаря.*

3. | **Вписывать (вписать)** что? куда? |

Я **вписал** *свою фамилию в готовый контракт.*

4. | **Переписывать (переписать)** что? откуда? куда? |

Мы **переписали** *эти сведения из журнала в блокнот.*

5. | **Переписываться** (только НВ) с кем? |

Он начал **переписываться** *с нами* два года назад.

| **Переписка** кого? с кем? |

Переписка *института с министерством* продолжалась год.

6. | **Записывать (записать)** что? куда? |

Я **записал** *его новый номер* телефона *в книжку.*

| **Записка** кому? о чём?
от кого? |

Он **написал** мне **записку** *о том, что завтра не будет урока.*
Я получил **записку** *от родителей о посылке.*

7. ┌───┐
       │ **Записывать (записать)** кого? куда?   │
       └───┘

Тренер **записал** *меня в теннисную секцию*.

┌───┐
│ **Записываться (записаться)** куда?   │
└───┘

Я **записался** *в теннисную секцию*.

┌─────────────────────────┐
│ **Запись** куда?   │
└─────────────────────────┘

Запись *в секцию* закончена.

8. ┌───┐
       │ **Подписывать (подписать)** что?   │
       └───┘

Я **подписал** *контракт*.

┌───┐
│ **Подписываться (подписаться)** где? под чем?   │
└───┘

Я **подписался** *на второй странице под контрактом*.

┌───┐
│ **Подпись** (*ставить-поставить*)   │
└───┘

Я *поставил* **подпись** под контрактом.

9. ┌───┐
       │ **Подписывать (подписать)** кого? на что?│
       └───┘

Мой друг в Англии **подписал** *меня на журнал*.

┌───┐
│ **Подписываться (подписаться)** на что?   │
└───┘

Мы **подписались** *на газету*.

┌─────────────────────────────────┐
│ **Подписка** на что?   │
└─────────────────────────────────┘

Подписка *на газеты и журналы* закончилась.

7. 🖊 *ПРОВЕРЬТЕ СЕБЯ.*
Вставьте нужные слова. Используйте информацию из задания 6.

Я очень люблю читать газеты по утрам, когда я пью кофе. Сначала мне приходилось покупать свежие газеты по дороге в университет. Но потом я узнал, что я могу ... на газеты и журналы на почте. Я ... адрес нашей почты, который мне дал мой русский друг. На почте мне дали квитанцию на ... . Сначала из каталога я ... индекс газеты, на которую я хочу ... . Потом я просто ... в квитанцию свой адрес, название газеты и её индекс. ... квитанцию не надо. Нужно только заплатить за ... и всё. Теперь я получаю свежую газету каждое утро и вам советую сделать так же, как я. Для этого я советую вам сначала правильно ... нужные слова в этот текст, потом ... его к себе в тетрадь и использовать как инструкцию. Отличная идея! Согласны?

8. ☎ ПОГОВОРИМ.

Вам нравится его идея? Объясните почему.
На какие газеты и журналы вы хотели бы подписаться в России?
Расскажите, как вы подписываетесь на газеты и журналы в своей стране.

9. ✔ ВСПОМНИТЕ.
Употребление союза **чтобы** *в сложном предложении.*

┌───┐
│ *Значение 1.* **Пожелание, просьба, требование** │
└───┘

После слов:
а) требовать, приказывать, просить, предлагать, уговаривать, мечтать, советовать, настаивать;
б) говорить (сказать), напоминать, передать и др.;
в) хотеть.
Грамматика: после **чтобы** глагол всегда стоит в прошедшем времени.
Вариант: после глаголов группы (а) может использоваться инфинитив.
Например: а) Он предложил, **чтобы** я *поехал* в Россию.
        Он предложил мне *поехать* в Россию.
      б) Он передал, **чтобы** вы *позвонили* позже.
      в) Он хочет, **чтобы** вы *сделали* это.

┌─────────────────────────────────┐
│ *Значение 2.* **Необходимость** │
└─────────────────────────────────┘

После слов: необходимо, надо, нужно, важно, хорошо, главное.
Грамматика: после *чтобы* глагол всегда стоит в прошедшем времени.
Например: Нужно, **чтобы** вы *позвонили* домой.
        Главное, **чтобы** вы *позвонили* домой.

Сомнительный факт

После слов и выражений: трудно поверить, невероятно, сомнительно, не может быть.
Грамматика: после *чтобы* глагол всегда стоит в прошедшем времени.
Например: Трудно поверить, **чтобы** он *сделал* это.
Невероятно, **чтобы** люди *жили* на Марсе.

Значение 4. **Выражение цели в сложном предложении**

Грамматика: глагол после *чтобы* стоит в прошедшем времени, если в предложении действуют два субъекта; глагол после *чтобы* стоит в инфинитиве, если в предложении действует один субъект.
Например: Я позвонил родителям, **чтобы** они *не волновались*.
Я позвонил родителям, **чтобы** *не волноваться*.

10. ✍*ПРОВЕРЬТЕ СЕБЯ.*
Составьте сложные предложения таким образом, чтобы выразить данные значения. Используйте информацию из задания 9.

Он бросил курить.   ← (сомнительный факт)
Все студенты записались в библиотеку.   ← (необходимость)
Я вернулся домой.   ← (пожелание)
Друзья в Америке не забыли меня.   ← (цель)
Этот человек стал президентом.   ← (сомнительный факт)
Мы встретились с первокурсниками.   ← (пожелание)
В мире никогда больше не было войны.   ← (цель)

11. ✄ *ПРОАНАЛИЗИРУЙТЕ.*
Прочитайте и проанализируйте предложения. Постарайтесь объяснить разницу в использовании подчёркнутых конструкций.

а) Важно, <u>чтобы вы любили</u> свой университет.
   Важно, <u>что вы любите</u> свой университет.
б) Он сказал, <u>чтобы они записались</u> в библиотеку.
   Он сказал, <u>что они записались</u> в библиотеку.
в) Я хочу, <u>чтобы мой сын учился</u> в России.
   Я <u>хочу учиться</u> в России.
г) Я позвонил, <u>чтобы предупредить вас</u> о встрече.
   Я позвонил, <u>чтобы вы знали</u> о встрече.

12. ✍ *ПОЙМИТЕ РАЗНИЦУ.*

Разница в использовании союзов **чтобы** и **что**.

Чтобы	Что
1. Просьба. *Слова: говорить (сказать), напоминать, мечтать* Он сказал, чтобы мы это сделали.	1. Факт. *Слова: говорить, напоминать, мечтать* Он сказал, что мы это сделали.
2. Необходимость. *Слова: важно, хорошо, главное* Важно, чтобы вы были здесь.	2. Факт. *Слова: важно, хорошо, главное* Важно, что вы здесь.
3. Сомнительный факт. *Слова и словосочетания: трудно поверить, невероятно, сомнительно, не может быть.* Трудно поверить, чтобы он сделал это. (Может быть, он этого не делал.)	3. Сомнение в реальности факта. *Слова и словосочетания: трудно поверить, невероятно, сомнительно, не может быть.* Трудно поверить, что он сделал это. (Он это точно сделал.)

13. ✍ *ПРОВЕРЬТЕ СЕБЯ.*

Закончите предложения. Если возможны варианты, укажите их и объясните.

Необходимо, …
Трудно представить, …
Невероятно, …
Преподаватель попросил, …
Мои родители мечтали, …
Он сделал это, …
Он предупредил, …
Журналисты предложили, …
Главное, …
Трудно поверить, …
Я приехал к тебе, …
Я не думаю, …
Сомнительно, …

14. *ПРЕДСТАВЬТЕ СЕБЯ НА МЕСТЕ ДРУГОГО.*
   Сформулируйте высказывание, представив, что вы:

- руководитель фирмы и объясняете сотрудникам, что вы хотите, чтобы они сделали за этот день;
- преподаватель и объясняете студентам, что они должны сделать дома;
- премьер-министр, который даёт указания министрам, что нужно сделать, чтобы выйти из кризиса.

15. *ПРОВЕРЬТЕ СЕБЯ.*
   Поставьте глагол в скобках в правильную форму.

Зачем я живу? Этот вечный вопрос существовал всегда, но каждый человек отвечает на него по-своему или не отвечает совсем. Самый универсальный ответ: «Я живу, чтобы (жить)». Некоторые добавляют: «Чтобы (жить) хорошо». Но животные тоже живут для того, чтобы просто (жить). Другие живут для того, чтобы другие поколения их (помнить). Третьи живут для того, чтобы их дети (быть) счастливы и (расти) здоровыми и богатыми. И лишь философ живёт для того, чтобы (понять), зачем он живёт.

16. *ПОГОВОРИМ.*

Вопрос «Зачем живёт человек?» — это вопрос о смысле жизни.
Нужно ли человеку задавать себе этот вопрос? Почему? Обоснуйте своё мнение.
Как бы вы сами ответили на этот вопрос?

17. *ПРОАНАЛИЗИРУЙТЕ.*
   Ответьте на вопросы причины и цели. Проанализируйте ответы.

а) Зачем вы приехали в Москву?
   Почему вы приехали в Москву?
б) Зачем вы поступили в университет?
   Почему вы поступили в университет?
в) Зачем вы ходите в библиотеку?
   Почему вы ходите в библиотеку?
г) Зачем вы читаете книги?
   Почему вы читаете книги?
д) Зачем вы живёте?
   Почему вы живёте?

18. ✎ ПОЙМИТЕ РАЗНИЦУ

Сложные случаи выражения цели и причины в простом предложении.

За чем? за кем?	За что? за кого?
• Выражение цели после глаголов движения: *Я ходил за хлебом.* *Я зайду за тобой после обеда.*	• Выражение повода, основания, причины: *Я люблю его за доброту и ненавижу за слабость.* *Он наказал сына за обман.*
• Выражение причины (в значении по причине: *За делами я не заметил, как прошло время.* *За недостатком времени я не написал доклад.*	• Выражение цели борьбы; лицо, предмет, в пользу, в защиту которого что-то делается: *Они боролись за свободу и были готовы умереть за Родину.* *Она заступилась за младшего брата.*
• Выражение цели внимания, действия: *Он ухаживал за ней 2 года.* *Следите за грамматикой!*	• Выражение цели ответственности, обязательств: *Вы должны отвечать за свои поступки.* *Он несёт ответственность за детей.*

19. ✎ ПРОВЕРЬТЕ СЕБЯ.

Соедините информацию из правой и левой части. Поставьте слова из правой части в правильную грамматическую форму. Используйте информацию из задания 18.

1. Она долго ругала меня	за	партия зелёных
2. Я ненавижу ходить	за	мой русский друг
3. Вы должны отвечать	за	дети
4. Он голосовал	за	ошибки
5. Он был готов отдать жизнь	за	контрольная работа
6. Перед тренировкой я заехал	за	разговоры
7. На эскалаторе следите	за	свои слова
8. Учитель поставил мне двойку	за	продукты
9. Мы поблагодарили его	за	работа
10. Родители похвалили сына	за	успехи
11. Мы пропустили передачу	за	она
12. Он послал меня	за	ты

ДИАЛОГ

— Здравствуйте.
— Здравствуйте.
— Я бы хотел записаться в библиотеку.
— Да, пожалуйста. У вас есть студенческий билет?
— Да, вот он.
— Заполните, пожалуйста, бланк. Подпишитесь внизу и поставьте се-
годняшнее число. Подождите немного. Вот ваш билет. Не потеряйте
его.
— Спасибо. Я могу сегодня взять книги?
— Да, конечно. Что вам нужно?
— Мне нужен учебник по статистике и монография.
— Учебник я вам сейчас принесу, а для монографии вам нужно заполнить
требование. Посмотрите в каталоге точное название, фамилию автора
и шифр издания.
— Хорошо. Спасибо.
— Пожалуйста.

20. ⁓ ПОФАНТАЗИРУЙТЕ.

Разыграйте подобный диалог при следующих условиях:

✍ студент забыл студенческий билет в общежитии;
✍ он не точно помнит название монографии.

21. ☞ ☜ СИТУАЦИЯ.

Вы — человек, который хочет подписаться на газету, но не знает, как и где
это можно сделать.
Ваша задача — выяснить, как это делается.

Вы — человек, который уже подписался на газету.
Ваша задача — объяснить, как это делается.

РАССКАЗ И ЗАДАНИЯ К НЕМУ

УЧУСЬ НЕ БОЛЕТЬ

Я совсем не умею болеть. Женщины говорят, что все мужчины не умеют
болеть, но, мне кажется, что я особенно. Когда у меня что-то болит или я
просто простудился, то мне кажется, что я умираю. Даже если у меня всего

лишь небольшая температура или слегка болит горло, настроение ужасное, характер становится капризным, делать ничего не хочу. В это время я сам себя ненавижу. Только мама может терпеть меня во время болезни. Слава Богу, что я всё-таки редко болею.

Когда я приехал в Россию, то понял, что мама далеко, терпеть меня, если заболею, никто не будет, поэтому надо научиться не болеть. Сначала я решил проконсультироваться у русского врача. Эта проблема решилась быстро, потому что отец моего лучшего друга — врач. Он сначала долго смеялся надо мной, а потом посоветовал не думать о болезнях, быть всегда в хорошем настроении, принимать контрастный душ, немного заниматься спортом, а если я вдруг заболею, то сидеть дома и вызвать врача. Да, ещё он посоветовал мне пить витамины, особенно осенью и весной, и быть осторожным зимой, потому что на улицах так скользко, что я могу упасть и сломать ногу или руку. В конце он сказал: «Как нельзя купить билет в рай, так и нельзя застраховаться от болезни. Даже если бы ты всю жизнь провёл в стерильной клетке, то мог бы заболеть… от тоски».

Мой врач — человек с юмором и умница. Согласны?

22. 📖 ПРОЧИТАЙТЕ.
Внимательно прочитайте рассказ.

23. ❓ ОТВЕТЬТЕ НА 3 «ПОЧЕМУ».
При ответе используйте информацию из рассказа.

Почему он не умеет болеть?
Почему он решил, что в России надо научиться не болеть?
Почему надо быть осторожным зимой?

24. ☺ ВАША ВЕРСИЯ.
При ответе выскажите собственное мнение.

Почему только мама может терпеть его во время болезни?
Почему врач посоветовал ему пить витамины?
Почему врач над ним долго смеялся?

25. ✍ РАССКАЖИТЕ, ОЦЕНИТЕ И ДОБАВЬТЕ.

❑ Перечислите советы, которые ему дал врач.
❑ Оцените их.
❑ Добавьте свои.

3*

26. ✍ ПОДЕЛИТЕСЬ ОПЫТОМ.

Ответьте на вопросы. Обоснуйте своё мнение.

Вы часто болеете? Вы можете объяснить почему?

Как вы себя ведёте, когда болеете? Как наш герой или по-другому?

Чем чаще всего болеют студенты? Почему?

Что вы обычно делаете, если вы заболели?

Вы всегда обращаетесь к врачу, когда болеете? В каких случаях вы обязательно обращаетесь к врачу?

Заботитесь ли вы о своём здоровье? Каким образом?

Трудно ли болеть в России? Почему?

27. ☎ ПОГОВОРИМ.

Обоснуйте своё мнение.

Как вы думаете, можно ли научиться не болеть?

Как вы думаете, что значит «уметь болеть»?

Согласны ли вы с мнением женщин, что мужчины не умеют болеть? А женщины умеют болеть?

Согласны ли вы с тем, что этот врач хороший и с чувством юмора?

Согласны ли вы, что можно заболеть от тоски?

28. ✎ ПОСТАРАЙТЕСЬ ОБЪЯСНИТЬ.

Объясните, как вы понимаете слова и выражения:

- здоровый образ жизни;
- нездоровый образ жизни;
- стресс;
- хороший врач;
- хороший больной;
- вредные привычки;
- простуда.

ЛЕКСИКО-ГРАММАТИЧЕСКИЕ ЗАДАНИЯ

29. ☎ ПРОВЕРЬТЕ СЕБЯ.

Вставьте нужные слова. Используйте информацию из задания 6.

Вот уже два дня у меня сильно болит нога. Поэтому я решил позвонить в поликлинику и … на приём к хирургу. Девушка сказала, что на сегодняшний день … к хирургу уже закончилась, но она может … меня на завтра. Что делать? Я согласился.

30. ✎ *ПРИДУМАЙТЕ И ЗАПИШИТЕ.*

✎ Вам нужно записаться на приём к известному врачу-специалисту. Это очень трудно сделать, но вам удалось.

31. ✂ *СРАВНИТЕ И ПРОАНАЛИЗИРУЙТЕ.*
   Сравните и проанализируйте предложения.

Если вы заболели, то вам нужно вызвать врача.
Если бы вы заболели, то вам нужно было бы вызвать врача.

32. ✔ *ВСПОМНИТЕ.*
   Выражение условия в сложном предложении.

1. Реальное условие.

> **Если**+ кто + глагол,   **то** + кто + глагол
>   *(любое время)*   *(любое время)*

Если врач выписывает мне лекарство, **то** я могу его купить.
Если врач выпишет мне лекарство, **то** я смогу его купить.
Если врач выписывал лекарство, **то** я мог его купить.

2. Нереальное условие.

> **Если бы** + кто + глагол,   **то** кто + **бы** + глагол
>   *(прош. время)*   *(прош. время)*

Если бы врач выписал мне лекарство, **то** я **бы** его купил.

33. ✒ *ПРОВЕРЬТЕ СЕБЯ.*
   Поставьте слова из скобок в правильную грамматическую форму. Используйте информацию из задания 32.

1. Если (быть) хорошая погода, мы (ехать — поехать) за город.
2. Если бы ты всегда меня (понимать — понять), это (быть) бы скучно.
3. Если я не (мочь — смочь) (вызывать — вызвать) врача, то я (ехать — поехать) в поликлинику.
4. Если бы ты (болеть — заболеть), я бы к тебе (приезжать — приехать).
5. Если бы вы (предупреждать — предупредить) меня заранее, я бы (мочь — смочь) (изменять — изменить) своё расписание.
6. Если у вас сильно (болеть — заболеть) голова, вам нужно (принимать — принять) более сильное лекарство.
7. Если бы вы (мочь — смочь) (уговаривать — уговорить) её (ехать — поехать) с нами, я бы очень (удивляться — удивиться).

34. ✍ *ПРОВЕРЬТЕ СЕБЯ + ПОФАНТАЗИРУЙТЕ.*
Закончите фразы.

Если бы я был (кем?)…, то …
Если бы я встретился с …, то …
Если бы я получил…, то …
Если бы я был (каким?)…, то …
Если бы мои родители…, то …
Если бы у меня было (была, был, были)…, то …
Если бы я начал жизнь сначала, то …

35. ✍ *ПОЙМИТЕ РАЗНИЦУ.*
*Использование слов **тоже** и **также**.*

Тоже	Также (а также)
• полное совпадение чего-либо: *Я изучаю русский язык, и он тоже.*	• присоединение дополнительной информации: *Я изучаю русский язык, а также французский.*

36. ✍ *ПРОВЕРЬТЕ СЕБЯ.*
Восстановите реплику мини-диалога.

1.
— …
— У меня тоже болит голова.

2.
— …
— А также принимать лекарство?

3.
— …
— Я тоже ужасно голоден.

4.
— …
— Да, а также и пешком. Это лучше.

ДИАЛОГ

— Здравствуйте, доктор.
— Здравствуйте. Проходите, садитесь. Что вас беспокоит? На что жалуетесь?
— На всё, доктор. Мне кажется, что я умираю, у меня всё болит.
— Успокойтесь. Вы ведёте себя, как ребёнок. Скажите, у вас сразу всё заболело или постепенно?
— Сначала у меня заболела голова, потом живот, сейчас у меня болит горло и спина немного и ещё ноги и руки. Я ничего не могу делать.

— Да… Трудный случай. Температура есть?

— Да, но небольшая.

— Скоро сессия. Скажите, вы много занимаетесь?

— Конечно. Я учусь на экономическом факультете, мне нужно выучить огромный материал. Я занимаюсь день и ночь.

— Всё понятно. У вас грипп и плюс переутомление и плюс ужасный характер. Будьте же мужчиной! Ничего страшного у вас нет. Сейчас вам нужны хороший отдых и небольшое лечение. Вот рецепт. Принимайте лекарство три раза в день перед обедом. Перед сном пейте горячее молоко с мёдом. Неделю вам нельзя заниматься совсем, поэтому я освобождаю вас от занятий на неделю.

— Спасибо, доктор.

— Пожалуйста, и выздоравливайте скорее.

37. ✍ *РАССКАЖИТЕ И ЗАПИШИТЕ.*

Передайте содержание диалога в виде рассказа и запишите его. Начните: «Однажды мне показалось, что я серьезно заболел…».

38. ☞ ✑*СИТУАЦИЯ.*

Вы — студент и спортсмен. У вас уже неделю болит правая нога. Скоро у вас соревнования по теннису. Вы не хотите их пропускать и лечь в больницу.

Ваша задача — уговорить врача только выписать вам лекарство и убедить, что ничего страшного нет.

Вы — врач-хирург. Вы считаете, что с ногой случилось что-то серьёзное.

Ваша задача — объяснить ситуацию и уговорить больного лечь в больницу.

РАССКАЗ И ЗАДАНИЯ К НЕМУ

УЧУСЬ ВОДИТЬ МАШИНУ

В Москве я решил научиться водить машину. Я хотел начать учиться раньше, но в России можно получить водительские права только, когда тебе исполнится 18 лет. Я мог бы получить права в Америке, но я подумал, что учиться водить в Москве — это будет интересный опыт. Мне повезло, потому что в нашем университете есть автошкола и я мог заниматься там сразу после занятий.

Когда я пришёл туда первый раз, мне сказали, что я должен пройти медкомиссию и заплатить за обучение. Учиться надо полгода, а потом будет экзамен в автоинспекции. Мне показалось, что экзамен очень сложный. Сначала я должен сдать экзамен по устройству автомобиля: мотор и т.д., потом — теорию, а потом — практику. Я хотел даже отказаться, но вспомнил, что отец обещал мне купить маленькую подержанную русскую машину «жигули», и в конце концов решил попробовать.

По утрам были практические занятия. Я ездил по улицам Москвы, и сначала для меня это был просто кошмар, особенно в час пик. По вечерам три раза в неделю я слушал теорию. К концу обучения я устал как собака, и уже не хотел ни права, ни машину. Но мой инструктор сказал: «Начал — заканчивай». Он вообще был немногословный, но отличный человек, всегда меня поддерживал. Когда я сдавал экзамены, то первый раз провалился и сдал только со второй попытки. После экзамена я устроил грандиозный праздник в общежитии. Машина, которую мне подарил отец, конечно, не «мерседес», но я к ней привык и даже полюбил. Когда она не заводится, я ласково прошу её: «Ну, давай, моя добрая старушка!». И она меня не подводит. Сейчас машина — это мои вторые ноги, только в десять раз быстрее, и я совсем не жалею, что научился водить в Москве. После этого уже ничего не страшно.

39. 📖 ПРОЧИТАЙТЕ.
Внимательно прочитайте рассказ.

40. ? ОТВЕТЬТЕ НА 3 «ПОЧЕМУ».
При ответе используйте информацию из рассказа.

Почему он решил научиться водить машину в Москве?
Почему он говорит, что экзамен на права в России сложный?
Почему он не жалеет, что научился водить машину в Москве?

41. ☺ВАША ВЕРСИЯ.
При ответе выскажите собственное мнение.

Почему в первый раз он провалился на экзамене?
Почему он устроил в общежитии грандиозный праздник?
Почему для того чтобы учиться в автошколе, надо пройти медкомиссию?
Почему он называет свою машину «добрая старушка»?

42. ☞РАССКАЖИТЕ:
❑ как и с какого возраста можно получить права в вашей стране;
❑ как проходит в вашей стране экзамен;
❑ как вы учились водить машину.

43. 👄 *ВОЗРАЗИТЕ ИЛИ СОГЛАСИТЕСЬ.*
   Обоснуйте своё мнение.

Ездить по Москве на машине — это кошмар.
Пользоваться машиной всегда удобно.
Подержанная русская машина — хорошая.
Машина — это вторые ноги.

44. ☎ *ПОГОВОРИМ.*
   Выскажите своё мнение и обоснуйте его.

Вы хотите научиться водить машину? Почему?
Вы бы хотели получить права в России и водить машину здесь? Почему?
Нужно ли изучать устройство автомобиля?
Вы хотели бы купить русскую машину? Почему?
В вашей стране ездить на машине — это тоже кошмар?
Что для вас важнее при выборе машины: скорость, комфорт, безопасность или дизайн?
Если бы у вас была сумма денег, достаточная для покупки любой машины, какую машину вы бы приобрели? Обоснуйте свое мнение.

45. 〰 *ПОФАНТАЗИРУЙТЕ.*
   Опишите, как вы себе представляете:

✍ его машину;
✍ идеальную машину для семьи;
✍ идеальную спортивную машину
✍ идеальную машину для вас лично;
✍ машину XXI века.

ЛЕКСИКО-ГРАММАТИЧЕСКИЕ ЗАДАНИЯ

46. ✍ *ПРОВЕРЬТЕ СЕБЯ.*
   Вставьте нужные слова. Используйте информацию из задания 6.

   Вчера в автошколе я пропустил занятие по теории, и поэтому не … лекцию. Обычно я не пропускаю занятия и … всё, что говорит преподаватель. Но вчера мне надо было … на приём к врачу-окулисту. Я … своему другу, который вместе со мной учится в автошколе, чтобы он предупредил преподавателя. Я попросил его, чтобы он обязательно … лекцию о моторах. Потом я хотел … её у него. И что вы думаете? Он тоже пропустил занятие, потому что у него было свидание.

47. ✔ *ВСПОМНИТЕ.*
Глаголы движения.

Время	идти (НВ)	пойти (СВ)
Настоящее	я иду (ты идёшь…)	—
Прошедшее	шёл (шла, шли)	пошёл (пошла, пошли)
Будущее	я буду идти…	я пойду (ты пойдёшь…)

Время	ехать (НВ)	поехать (СВ)
Настоящее	я еду (ты едешь…)	—
Прошедшее	ехал (ехала, ехали)	поехал (поехала, поехали)
Будущее	я буду ехать…	я поеду (ты поедешь…)

Я иду в университет и завтра тоже пойду. Вчера, когда я шёл в университет, я встретил друга и мы пошли вместе до остановки. Может быть, завтра, когда я буду идти в университет, я встречу его опять.

Комментарий

я иду	— однократное движение в одном направлении (настоящее время)
я пойду	— однократное движение в одном направлении в будущем (намерение)
я шёл	— однократное движение в одном направлении (процесс; прошедшее время) + обязательно контекст (здесь: во время движения произошла встреча)
мы пошли	— однократное движение в одном направлении, начало нового этапа движения (здесь: вместе)
буду идти	— однократное движение в одном направлении (процесс; будущее время) + обязательно контекст (здесь: возможно, что во время движения будет встреча)

48. *ПРОВЕРЬТЕ СЕБЯ.*
Вставьте нужные слова. Используйте информацию из задания 47.

1. **идти — пойти**
Вчера утром я … в библиотеку и вдруг увидел моего инструктора по вождению. Он … в столовую. Я не хотел встречаться с ним, потому что вчера пропустил занятие. Поэтому я … в другую сторону. Он меня заметил, но ничего не сказал. Завтра я обязательно … на занятия.

2. **ехать — поехать**
Вчера, когда я первый раз … в университет на машине, мой инструктор сказал, что я буду хорошим водителем. Я только один раз … на красный свет. Летом я собираюсь … в Италию на машине. Я ещё не знаю точно, сколько дней я …, но это не важно. Надеюсь, что летом я уже буду отлично водить машину. Если всё будет в порядке, то в следующем году я планирую на машине … в Китай.

49. *ПРИДУМАЙТЕ И ЗАПИШИТЕ.*
Составьте мини-рассказы. Максимально используйте формы глаголов движения. Начните:

✎ Я мечтаю однажды поехать в …
✎ Вчера, когда я шёл в …

50. *ПОЙМИТЕ РАЗНИЦУ.*
Неопределённые местоимения с частицами -то, -нибудь.

-то	-нибудь
Формы: • кто + то = кто-то что + то = что-то где + то = где-то куда + то = куда-то когда + то = когда-то какой + то = какой-то	*Формы:* • кто + нибудь = кто-нибудь что + нибудь = что-нибудь где + нибудь = где-нибудь куда + нибудь = куда-нибудь когда + нибудь = когда-нибудь какой + нибудь = какой-нибудь
Значения: • Реально существует, но человек его не знает. • Раньше человек знал, но сейчас не помнит точно. • Выражает неуверенность, предположение.	*Значения:* • Безразлично для говорящего (всё равно кто, что, куда…). • Не определённый говорящим, не выбранный. • Выражает большую степень неуверенности.

51. 🕮 *ПРОВЕРЬТЕ СЕБЯ.*

Вставьте нужные слова. Используйте информацию из задания 50.

1. — Мне … звонил?
   — Да, звонил, но я забыл кто.
2. — Давай поедем … летом.
   — Давай. А куда?
   — …, где мало людей.
   — А что мы будем там делать?
   — … придумаем.
3. — Слушай, я … потерял коше-
   лёк.
   — Может, … украл?
   — Нет, не думаю. Наверное, он
   лежит … и ждёт меня.

4. — Ты … хочешь поесть?
   — … хочу, но не знаю что.
5. — … я стану великим путешествен-
   ником и … скажет: «Он не зря
   прожил жизнь» и, может быть,
   … мне поставят памятник.
   — Где?
6. — …
   — Однажды в … книге я прочитал о
   Марсе и решил, что … полечу туда.
   — Ты полетишь один?
   — Почему один? С …

ДИАЛОГ

— Здравствуйте. Я бы хотел записаться в автошколу. Что мне нужно сделать?
— Здравствуйте. Вам нужно пройти медкомиссию, заплатить за обучение и
заполнить бланк.
— Когда начинаются занятия?
— 10 сентября. Вы будете слушать теоретический курс два раза в неделю по
вечерам и три раза в неделю у вас будет практическое вождение в удобное
для вас время. На какой машине вы хотите водить?
— На «семёрке». На «жигулях» седьмой модели. Скажите, пожалуйста, где
можно пройти медкомиссию?
— Вот вам адрес и телефон ближайшей поликлиники, где есть медкомиссия.
— Мне что-нибудь нужно для медкомиссии?
— Позвоните туда предварительно и узнайте всё, что вам нужно.
— Спасибо и до свидания.

52. ☞ 🕮 *СИТУАЦИЯ.*

Вы — учитесь в автошколе.
Ваша задача — договориться с инструктором по вождению о времени занятий. Вам не удобно заниматься утром.

Вы — инструктор, который преподаёт практику вождения.
Ваша задача — договориться со студентом о времени занятий. Вам не удобно
заниматься вечером.

РАССКАЗ И ЗАДАНИЯ К НЕМУ

УЧУСЬ ИГРАТЬ В ТЕННИС

Я не могу сказать, что обожаю спорт и смотрю все спортивные соревнования. Я много раз видел, как страстно болеют русские, особенно во время футбольных и хоккейных матчей. Я не страстный болельщик и не фанат. Единственное, что я действительно люблю, — это плавание. В детстве я серьёзно занимался плаванием в спортивной секции. Сейчас у меня появилась одна спортивная мечта. Я хочу научиться классно играть в теннис. Я знаю, что сейчас теннис в России — это самый модный и престижный вид спорта. Но я решил научиться играть совсем не потому, что это модно, а потому, что моя любимая девушка Даша очень любит играть в теннис и играет отлично. Она начала заниматься теннисом, когда ей было 10 лет, и сейчас, мне кажется, играет почти профессионально. Сначала она пробовала меня учить, но потом бросила, потому что у неё не хватает терпения. Тогда я записался в нашу университетскую секцию и стал заниматься регулярно с тренером. Сначала было трудно, но я часто вспоминал слова моего инструктора по вождению и твёрдо решил довести дело до конца. У меня была цель: я хотел выиграть у Даши хотя бы одну партию. Я занимался как сумасшедший и через два года добился своей цели и выиграл у неё два раза. Только иногда я думаю, что это не я так классно играю, а она меня пожалела. Как вы думаете?

53. 📖 *ПРОЧИТАЙТЕ.*
Внимательно прочитайте рассказ.

54. ❓ *ОТВЕТЬТЕ НА 4 «ПОЧЕМУ».*
При ответе используйте информацию из рассказа.

Почему в детстве он занимался именно плаванием?
Почему он решил научиться играть в теннис?
Почему Даша сейчас играет уже почти профессионально?
Почему Даша бросила учить его теннису?

55. ☺ *ВАША ВЕРСИЯ.*
При ответе выскажите собственное мнение.

Почему он не спортивный болельщик?
Почему он обязательно хотел выиграть у Даши хотя бы одну партию?
Почему он думает, что Даша его пожалела?

56. ❓ *ОТВЕТЬТЕ И ВЫСКАЖИТЕ СВОЁ МНЕНИЕ.*
Ответьте на вопросы. Обоснуйте своё мнение.

Какие слова сказал ему инструктор по вождению? Вы согласны с ним?
Вы занимаетесь спортом?

Какой ваш любимый вид спорта?

Болельщик ли вы? За кого вы болеете?

Вы предпочитаете смотреть соревнования по телевизору или на стадионе?

Начали бы вы заниматься спортом только потому, что ваша любимая девушка любит спорт?

57. ☞ ПОМОГИТЕ ПОНЯТЬ СИТУАЦИЮ.
Ответьте на вопрос героя. Выскажите своё мнение.

58. ☎ ПОГОВОРИМ.
Обоснуйте своё мнение.

Согласны ли вы, что русские — страстные болельщики? А в вашей стране много страстных спортивных болельщиков? В каких видах спорта их больше всего?

Согласны ли вы, что теннис — это «самый престижный вид спорта в России»? Как вы думаете, почему?

Есть ли в вашей стране престижный вид спорта? Какой и почему именно этот, а не другой?

Как вы относитесь к таким видам спорта, как женский бокс, бодибилдинг, дартс? Объясните почему.

Как вы относитесь к профессиональному спорту? Почему?

59. ✍ ПОСТАРАЙТЕСЬ ОБЪЯСНИТЬ.
Объясните как, вы понимаете эти выражения:

- страстный болельщик;
- престижный вид спорта;
- хороший тренер;
- профессиональный спорт;
- любительский спорт;
- довести дело до конца.

ЛЕКСИКО-ГРАММАТИЧЕСКИЕ ЗАДАНИЯ

60. ☞ ПРОВЕРЬТЕ СЕБЯ
Вставьте нужные слова. Используйте информацию из задания 6.

Однажды я подумал, что мне надо знать ещё один иностранный язык — немецкий. Поэтому я решил ... на вечерние курсы немецкого языка, которые есть в нашем университете. К счастью, ... на курсы ещё не закончилась. Сначала я нашёл доску объявлений, где была информация о курсах. Я ... расписание и ... фамилии преподавателей, которые ведут занятия для начинающих.

После того как я … на курсы, заплатил за начальный курс, я познакомился со своим преподавателем. Он сразу посоветовал мне … на немецкую газету и объяснил, где можно оформить … . На следующей неделе я уже начинаю заниматься. У меня есть только один вопрос: «Хватит ли мне времени на всё?»

61. *ПРИДУМАЙТЕ И ЗАПИШИТЕ.*

Придумайте и запишите рассказ о том, как вы записывались:

✎ на курсы поваров;
✎ на компьютерные курсы.

62. ☎ *ПОГОВОРИМ.*

Почему он сомневается, хватит ли ему времени на всё?
Как вы думаете, что он имеет в виду, когда говорит «на всё»?
Как вы думаете, нужно ли человеку изучать третий и т. д. иностранный язык? Если нужно, то зачем? Сколько иностранных языков вы бы хотели знать?

63. ✔ *ВСПОМНИТЕ.*

Глаголы движения (продолжение).

идти — пойти — ходить	ехать — поехать — ездить
я хожу (ты …) ходил (ходила) я буду ходить (ты …)	я езжу (ты…) ездил (ездила) я буду ездить (ты…)

Сейчас я <u>иду</u> на занятия по английскому языку. К сожалению, завтра я <u>не пойду</u> на занятия, потому что мой друг серьёзно заболел и мне нужно <u>пойти</u> к нему в больницу. Я <u>хожу</u> на занятия по английскому четыре раза в неделю, но, мне кажется, что этого мало. Сейчас иногда мне приходится пропускать занятия, потому что друг болен. Но я надеюсь, что через неделю <u>буду ходить</u> регулярно.

Комментарий

иду — однократное движение в одном направлении (настоящее время)
не пойду — однократное движение в одном направлении в будущем (намерение)
пойти — то же самое
хожу — многократное, повторяющееся движение в направлении «туда—обратно»
буду ходить — многократное, повторяющееся движение в направлении «туда—обратно».

64. 🎧 *ПРОВЕРЬТЕ СЕБЯ.*

Вставьте нужные слова.

1. идти — ходить — пойти

Сейчас я … в наш спорткомплекс. Обычно я … туда по вторникам и четвергам, но сегодня у нас соревнования и я участвую в них. Раньше, когда я был новичком, я … на тренировки 4 раза в неделю. Но сейчас у меня мало времени. Завтра я точно не … . Вчера, когда я … на тренировку, я встретил моего инструктора по вождению. Я пропустил его занятие, потому что мне обязательно нужно было … на последнюю тренировку. Может быть, в следующем семестре я смогу организовать свою жизнь лучше и … в спорткомплекс чаще. Я очень люблю играть в теннис.

2. ехать — ездить — поехать

Обычно я … в университет на машине. Я люблю … быстро. Но сегодня мне пришлось … на метро, потому что моя машина опять сломалась. Сейчас я … в автобусе, смотрю в окно и думаю. Когда я закончу университет, я куплю себе самую быструю машину и … в Суздаль. Я … много часов, но я не боюсь, потому что в прошлом году я уже … в Петербург.

65. 📝 *ПРИДУМАЙТЕ И ЗАПИШИТЕ.*

Составьте подобные мини-рассказы и запишите их. Максимально используйте формы глаголов движения.

66. ✍ *ПОЙМИТЕ СХОДСТВО.*

Выражение сходных значений разными грамматическими средствами.

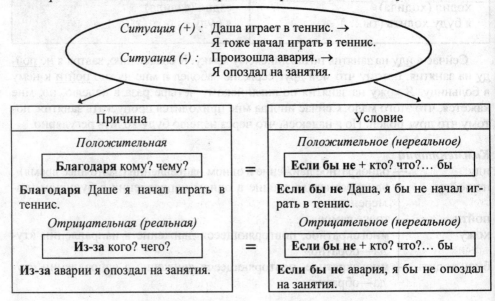

Ситуация (+): Даша играет в теннис. →
Я тоже начал играть в теннис.

Ситуация (–): Произошла авария. →
Я опоздал на занятия.

Причина	Условие
Положительная	*Положительное (нереальное)*
Благодаря кому? чему? =	**Если бы не + кто? что?... бы**
Благодаря Даше я начал играть в теннис.	Если бы не Даша, я бы не начал играть в теннис.
Отрицательная (реальная)	*Отрицательное (нереальное)*
Из-за кого? чего? =	**Если бы не + кто? что?... бы**
Из-за аварии я опоздал на занятия.	Если бы не авария, я бы не опоздал на занятия.

67. 🔲 *ПРОВЕРЬТЕ СЕБЯ.*

Объясните ситуацию. Пользуйтесь информацией из задания 66.

Если бы не ты, я бы провалился на экзамене.

Если бы не родители, я бы не купил компьютер.

Если бы не скучные уроки, я бы выучил французский язык.

Если бы не плохая погода, я бы сразу сдал экзамен по вождению.

Если бы не русский язык, я бы не смог учиться в России.

Если бы не экзамены, я бы поехал с друзьями за город.

68. 🔲 *ПРОВЕРЬТЕ СЕБЯ.*

Измените предложения по модели.

Модель: Вчера шёл дождь. →Мы не поехали на дачу.
- ▸ Из-за дождя мы не поехали на дачу.
- ▸ Если бы не дождь, мы бы поехали на дачу.

1. Вчера у меня был трудный разговор с родителями. → Утром я не смог пойти на занятия.
2. Мои русские друзья мне очень помогали. → Я не бросил учиться в университете.
3. Наша машина сломалась. → Мы не поехали по магазинам.
4. Любовь существует. → Наша жизнь прекрасна, а не ужасна.
5. У него ужасный характер. → С ним неприятно общаться.
6. У меня нет денег. → Я не могу поехать в кругосветное путешествие.
7. Будильник меня будит каждое утро. → Я не просыпаю занятия.

ДИАЛОГ

— Здравствуйте.

— Добрый день.

— Я бы хотел записаться в теннисную секцию.

— А вы новичок или уже умеете играть?

— Я не новичок. Я 5 лет занимался в секции стадиона «Динамо».

— А вы участвовали в соревнованиях?

— Да, когда учился в школе.

— Отлично. Приходите завтра в 5 часов на корт. Поиграем. У вас есть ракетка?

— Да. А с кем я буду играть?

— Со мной. Я работаю здесь тренером по теннису. Я хочу проверить ваш уровень. Может быть, вы станете членом нашей команды.

— Я не уверен. У меня давно не было хорошей практики. Но попробуем. Почему бы и нет?

— Жду вас завтра в 5. Договорились?

— Договорились. До встречи.

69. 🖎 *РАССКАЖИТЕ И ЗАПИШИТЕ.*
Передайте содержание диалога в форме рассказа и запишите его.

70. ☞ ✎*СИТУАЦИЯ.*

Вы — студент-новичок, который хочет записаться в теннисную секцию.
Ваша задача — выяснить, что вам потребуется для занятий и договориться о
времени занятий.
Вы — тренер по теннису.
Ваша задача — проверить способности студента и, если он подходит, объяснить, что ему потребуется, и когда будут занятия.

РАССКАЗ И ЗАДАНИЯ К НЕМУ

УЧУСЬ ЕСТЬ ПО-РУССКИ

Наверное, вы удивились, когда прочитали название. Что значит «есть по-русски»? Это глупость! Я постараюсь вам объяснить, что я имею в виду и почему сначала это было трудно для меня.

Для меня есть по-русски — это значит, во-первых, есть много и, во-вторых, долго. Я понял, что русским очень важно накормить человека и накормить его хорошо. Когда я прихожу в гости к моим друзьям, их мамы сразу предлагают поесть. Если я не голоден и отказываюсь, то они обижаются. А если я соглашаюсь, то потом мне трудно встать и сразу хочется спать. Обед обычно состоит из трех блюд: первое, второе и сладкое. Все блюда очень сытные. Например, бабушка Даши обожает готовить борщ с мясом. Это очень вкусно, но только если после борща не идёт жареное мясо с картошкой, а потом пирог с яблоками. Русские намного меньше, чем американцы, едят овощи, но очень много — хлеб с маслом.

В университете я обычно ем в столовой или в кафе, где можно взять кусок пиццы или бутерброд. Наша столовая меня вполне устраивает: не очень дорого, чисто и выбор неплохой. Некоторые наши студенты жалуются, что в столовой нет их национальных блюд. Но для того чтобы поесть что-то своё, национальное, можно пойти в ресторан. Обычно я в еде неприхотливый, но очень люблю итальянскую кухню. Сейчас я полюбил и русскую кухню, но есть по-русски так и не научился.

71. 📖*ПРОЧИТАЙТЕ.*
Прочитайте рассказ.

72. **? ОТВЕТЬТЕ НА 3 «ПОЧЕМУ».**
   При ответе используйте информацию из рассказа.

Почему мамы и бабушки его друзей сразу предлагают ему поесть?
Почему после русского обеда ему трудно встать и хочется спать?
Почему институтская столовая его вполне устраивает?

73. ☺ *ВАША ВЕРСИЯ.*
   При ответе выскажите собственное мнение.

Почему русским важно хорошо накормить человека?
Почему русские так любят хлеб с маслом и не очень любят овощи?
Почему русские обижаются, если вы отказываетесь поесть?
Почему обычно в студенческих столовых нет национальных блюд?
Почему он любит итальянскую кухню?
Почему он так и не научился есть по-русски?

74. **? ОТВЕТЬТЕ.**
   Обоснуйте своё мнение.

Где вы обычно обедаете?
Вам нравится ваша столовая?
Что вам не нравится в вашей столовой?
Любите ли вы вкусно поесть? А любите ли вы готовить? Если да, то что именно?
Как вы думаете, в университетских столовых нужно готовить национальные блюда других стран? Если да, то какие?
Как вы относитесь к русской кухне? Она вам нравится или нет?
Какую кухню вы предпочитаете?

75. ☎ *ПОГОВОРИМ.*

Согласны ли вы с высказыванием «Чем меньше ешь, тем дольше живёшь» или нет? Объясните почему.
Согласны ли вы с тем, что сказал наш герой о том, что значит «есть по-рус-ски»?
Обедали ли вы когда-нибудь в русской семье? Расскажите, как это было.
Как и что едят в вашей стране?
Как вы относитесь к вегетарианству? Объясните почему.

76. 〰 *ПОФАНТАЗИРУЙТЕ.*
   Составьте идеальное, на ваш взгляд, меню обеда.

4*

77. ✍ ПОСТАРАЙТЕСЬ ОБЪЯСНИТЬ.

Объясните, как вы понимаете эти слова и выражения:

- есть по-русски;
- есть по-американски;
- вегетарианец;
- русская кухня;
- гурман.

ЛЕКСИКО-ГРАММАТИЧЕСКИЕ ЗАДАНИЯ

78. 🔆 УЗНАЙТЕ.

*Глагол **писать** с приставками. Отглагольные существительные (продолжение).*

1. | **Записывать (записать)** что? на что? |
   |---|

   Я записал *программу «Вести» на видеокассету.*

Запись чего?

   Запись *фильма* плохая.

2. | **Переписывать (переписать)** что? с чего? на что? |
	что? у кого?

   Я хочу переписать *фильм с твоей кассеты на мою.*
   Я хочу переписать *у тебя эту кассету.*

Переписывание чего?

   Переписывание *кассеты* заняло у меня 2 часа.

79. ✒ ПРОВЕРЬТЕ СЕБЯ.

Вставьте нужные слова. Используйте информацию из задания 78.

У нас есть специальный видеоурок. Преподаватель … передачу «Новости» или «Итоги» на видеокассету дома. На уроке мы смотрим эту кассету и постепенно учимся понимать всё, что говорит комментатор. Потом мы обсуждаем то, что увидели. К сожалению, иногда … передачи бывает плохая. Однажды один студент … наш урок на видеокамеру. Он дал нам кассету и мы все … её. Я потратил 3 часа на её … … была не очень хорошая, но это не мешало нам смотреть её с удовольствием.

80. ✎ *ПРИДУМАЙТЕ И ЗАПИШИТЕ.*

Придумайте мини-рассказ о том, как вы что-то переписывали, и запишите его. Используйте информацию из задания 78.

81. ✔ *ВСПОМНИТЕ.*

Глаголы движения (продолжение).

Время	**приходить** (НВ)	**прийти** (СВ)
Настоящее *Прошедшее* *Будущее*	я прихожу (ты…) приходил (приходила…) я буду приходить (ты…)	— пришёл (пришла…) я приду (ты придёшь…)

Время	**уходить** (НВ)	**уйти** (СВ)
Настоящее *Прошедшее* *Будущее*	я ухожу (ты…) уходил (уходила…) я буду уходить (ты…)	— ушёл (ушла…) я уйду (ты уйдёшь…)

82. ✌ *ПРОВЕРЬТЕ СЕБЯ.*

Вставьте нужные слова. Используйте информацию из задания 81.

Вчера я … в столовую и увидел своего друга, который сидел один. Когда он меня увидел, он быстро встал и … . Раньше, когда я … куда-то и он видел меня, мы всегда были рады друг другу. Конечно, иногда он … раньше, чем я, потому что он всегда очень занят. Но это нормально, потому что он всегда предупреждал меня о том, что ему нужно … пораньше. Я не могу понять, что случилось сегодня. А вы?

83. ☞ *ПОМОГИТЕ ПОНЯТЬ СИТУАЦИЮ.*

Ответьте на вопрос в рассказе-упражнении. Дайте свою версию того, что могло случиться.

84. ✎ *ПРИДУМАЙТЕ И ЗАПИШИТЕ.*

Придумайте и запишите рассказ, который начинается так:

✎ Однажды я пришёл в университет и узнал, что…

✎ Однажды, когда я уже уходил из дома, раздался телефонный звонок…

85. ✔ *ВСПОМНИТЕ.*

Глаголы движения (продолжение).

Время	приезжать (НВ)	приехать (СВ)
Настоящее *Прошедшее* *Будущее*	я приезжаю (ты…) приезжал (приезжала…) я буду приезжать (ты…)	— приехал (приехала…) я приеду (ты приедешь…)

Время	уезжать (НВ)	уехать (СВ)
Настоящее *Прошедшее* *Будущее*	я уезжаю (ты…) уезжал (уезжала…) я буду уезжать (ты…)	— уехал (уехала…) я уеду (ты уедешь…)

86. ✆ *ПРОВЕРЬТЕ СЕБЯ.*

Вставьте нужные слова. Используйте информацию из задания 85.

Завтра мой друг … из Франции. Он … туда год назад, когда женился на француженке. Зимой он уже … , чтобы увидеть родителей, друзей и решить проблемы в университете. Он не хотел … , потому что здесь у него была интересная работа и много друзей. Но любовь была сильнее и в конце концов он … . Мне очень жаль. Перед отъездом он сказал, что … в Москву как можно чаще. Но я не очень верю. Я думаю, что он … один раз и всё. А вы как думаете?

87. ☞ *ПОМОГИТЕ ПОНЯТЬ СИТУАЦИЮ.*

Ответьте на вопрос героя в рассказе-упражнении.

88. ✍ *ПРИДУМАЙТЕ И ЗАПИШИТЕ.*

Придумайте и запишите мини-рассказ, который начинается так:

✎ Ура! Завтра я уезжаю в Париж…
✎ Кошмар! Завтра из отпуска приезжают мои родители…

ДИАЛОГ

— Ты голоден?
— Как волк.
— Давай пойдём в столовую. Там сейчас мало народу.

— С удовольствием.

— Что ты возьмёшь?

— Кажется, я могу съесть всё. Я возьму суп, мясо с картошкой, салат, три пирожка и 2 сока. А ты?

— Я не могу так много есть. Мне хватит только второго. Но мясо мне надоело. Хочу взять рыбу и пирожок с капустой. Скажите, пирожки свежие?

— Конечно, ещё тёплые.

— Тогда возьму два пирожка, рыбу и яблочный сок. Сколько с меня?

— Пожалуйста, ваша сдача. Молодой человек, вы забыли свой поднос.

— Спасибо. Видимо, после лекции по мировой экономике я очень устал. Голова совсем не работает.

89.   *РАССКАЖИТЕ И ЗАПИШИТЕ.*
   Передайте диалог в форме мини-рассказа и запишите его.

90. ☞ ✎ *СИТУАЦИЯ.*

Вы — студент, у которого уже закончились занятия и вы голодны.
Ваша задача — убедить друга пообедать в столовой.

Вы — очень голодны, но у вас есть только 15 минут.
Ваша задача — убедить друга быстро поесть в кафе, а вечером пойти в ресторан.

91. ✍ *МЫ ВАС СЛУШАЕМ. ВЫСКАЖИТЕСЬ.*
   Выберите одну из тем и выскажитесь. Ваше время — 10 минут.

✗ Учиться никогда не поздно. (Куда вы хотите записаться и чему ещё научиться?)

✗ В здоровом теле — здоровый дух!

✗ Машина — не роскошь, а средство передвижения или наоборот?

✗ Есть много и вкусно или есть мало и полезно?

✗ Дилемма: приезжать — уезжать или сидеть на месте?

🔑 КЛЮЧИ К ЛЕКСИКО-ГРАММАТИЧЕСКИМ ЗАДАНИЯМ

7. Подписаться, записал, на подписку, выписал, подписаться, вписал, подписывать, подписку, вписать, переписать.

10. Невероятно, чтобы он бросил курить. Нужно, чтобы все студенты записались в библиотеку. Родители настаивали, чтобы я вернулся домой. Я часто пишу письма, чтобы друзья не забыли меня. Трудно поверить, чтобы этот человек стал президентом. Ректор предложил, чтобы мы встретились с первокурсниками. Многие готовы сделать всё возможное, чтобы в мире больше не было войны.

15. Жить, жить, жить, помнили, были, росли, понять.

19. 1. Она долго ругала меня за ошибки. 2. Я ненавижу ходить за продуктами. 3. Вы должны отвечать за свои слова. 4. Он голосовал за партию зелёных. 5. Он был готов отдать жизнь за неё. 6. Перед тренировкой я заехал за моим русским другом. 7. На эскалаторе следите за детьми. 8. Учитель поставил мне двойку за контрольную работу. 9. Мы поблагодарили его за работу. 10. Родители похвалили сына за успехи. 11. Мы пропустили передачу за разговорами. 12. Он послал меня за тобой.

29. Записаться, запись, записать.

33. 1. Будет — поедем; 2. понимала — было бы; 3. не смогу вызвать — поеду; 4. заболела — приехал (болела — приезжал); 5. предупредили — смог изменить; 6. заболит — принять (болит — принимать); 7. смогли уговорить её поехать — удивился.

36. 1. У меня болит голова; 2. Вам нужно пить тёплое молоко с мёдом; 3. Я хочу есть; 4. Туда можно добраться на машине.

46. Записал, записываю, записаться, написал записку, записал, переписать.

48. 1.Шёл, шёл, пошёл, пойду.
2.Ехал, поехал, поехать, буду ехать, поехать.

51. 1. Кто-нибудь, кто-то; 2. куда-нибудь, куда-нибудь, что-нибудь; 3. где-то, кто-то, где-нибудь; 4. что-нибудь, что-то; 5. когда-нибудь, кто-нибудь, где-нибудь, где-нибудь; 6. какой-то, когда-нибудь, с кем-то.

60. Записаться, запись, переписал, записал, записался, подписаться, подписку.

64. 1. Иду, хожу, ходил, пойду, шёл, пойти, буду ходить.
2. Езжу, ездить, поехать, еду, поеду, буду ехать, ездил.

68. 1. Из-за трудного разговора с родителями утром я не пошёл на занятия.
Если бы не трудный разговор с родителями, я бы пошёл на занятия.

2. Благодаря русским друзьям я не бросил учиться в университете.

Если бы не русские друзья, я бы бросил учиться в университете.

3. Из-за поломки машины мы не поехали по магазинам.

Если бы машина не сломалась, мы бы поехали по магазинам.

4. Благодаря любви наша жизнь прекрасна, а не ужасна.

Если бы не любовь, наша жизнь была бы не прекрасна, а ужасна.

5. Из-за его характера с ним неприятно общаться.

Если бы не его характер, с ним было бы приятно общаться.

6. Из-за отсутствия денег я не могу поехать в кругосветное путешествие.

Если бы не отсутствие денег, я бы поехал в кругосветное путешествие.

7. Благодаря будильнику я не просыпаю занятия.

Если бы не будильник, я бы просыпал занятия.

79. Записывает, запись, записал, переписали, переписывание, запись.

82. Пришёл, ушёл, приходил, уходил, уйти.

86. Приезжает, уехал, приезжал, уезжать, уехал, будет приезжать, приедет.

V. РАБОТА ПОСЛЕ УЧЁБЫ

РАССКАЗ И ЗАДАНИЯ К НЕМУ

Я ПОДРАБАТЫВАЮ ПОСЛЕ ЗАНЯТИЙ

Конечно, хорошо только учиться, но жизнь в Москве дорогая, расходов много, а доходов мало. Всё время просить деньги у родителей не очень приятно, поэтому я решил найти подработку. Я хотел найти такую работу, чтобы она, с одной стороны, не занимала много времени, потому что я действительно очень занят, а с другой — давала бы нормальный заработок. Я не стал обращаться за помощью к отцу, а постарался найти работу самостоятельно. Сначала я посоветовался с моими русскими друзьями, но столкнулся со странной ситуацией. Практически никто из них никогда не подрабатывал. Они говорят, что учёба такая сложная, что на подработку не хватает времени. Мне это было очень странно, потому что в Америке практически все начинают подрабатывать ещё в школе. Родители тебя кормят и дают минимальную сумму на карманные расходы. Если ты хочешь хорошо проводить свободное время, водить свою девушку в кафе или ресторан, путешествовать, то должен найти подработку. Ребята работают в кафе, на бензозаправках, сидят с детьми и т.д. Американские дети быстро становятся самостоятельными и независимыми. Хотя я должен честно сказать, что здесь есть и вторая сторона медали. Как я узнал, в России не так. Даже в 40 лет можно брать у родителей деньги и отдавать своих детей им на воспитание. Говорят, что сейчас ситуация меняется, но медленно. Если русские студенты работают, то обычно только летом, и часто работа связана с будущей профессией. Студенты моего университета подрабатывают переводчиками или секретарями в фирмах. Я подумал, что это хорошая идея и обратился в фирмы, которые занимаются экспортом-импортом. Я послал по факсу своё резюме и стал ждать ответа. Мне сразу повезло. Одной средней фирме нужен был помощник переводчика, который хорошо знает торговую и экономическую терминологию. Менеджер по кадрам пригласил меня на собеседование. Там я познакомился со своим будущим шефом, который задал мне несколько вопросов и попросил сделать небольшой письменный перевод на компьютере. Кстати, он мне понравился: молодой, деловой и не сноб. Он сказал, что я им подхожу, и объяснил, что моя работа не постоянная. Меня будут вызывать по мере необходимости. В мои обязанности входит делать письменные переводы и иногда участвовать в переговорах. Для меня это отличный опыт и хорошая практика в русском языке. Зарплата неплохая, что тоже важно. Согласны?

1. 📖 *ПРОЧИТАЙТЕ.*
   Внимательно прочитайте рассказ.

2. ❓ *ОТВЕТЬТЕ НА 5 «ПОЧЕМУ».*
   При ответе используйте информацию из рассказа.

Почему он решил подрабатывать?
Почему он говорит, что столкнулся со странной ситуацией?
Почему русские школьники и студенты обычно не подрабатывают?
Почему американские школьники и студенты подрабатывают?
Почему ему понравился его будущий шеф?

3. ☺ *ВАША ВЕРСИЯ.*
   При ответе выскажите собственное мнение.

Почему он не стал обращаться за помощью к отцу, а решил найти работу самостоятельно?
Почему сейчас в России ситуация меняется?
Почему он решил обратиться в фирмы, которые занимаются экспортом-импортом?
Почему его пригласили сначала на собеседование?

4. ☻ *ВОЗРАЗИТЕ ИЛИ СОГЛАСИТЕСЬ.*
   Обоснуйте своё мнение.

В Москве жизнь дорогая.
Просить деньги у родителей не приятно.
У студентов расходов много, а доходов мало.
Родители должны давать минимальные деньги на карманные расходы, а на всё остальное нужно зарабатывать самим.
Русские студенты практически никогда не подрабатывают.
Учёба в России такая сложная, что на подработку нет времени.
Даже в 40 лет можно просить деньги у родителей.
Подрабатывать можно только при условии, что это связано с будущей профессией.
Ему повезло, что он нашёл такую работу.

5. ☞ *ПОСТАРАЙТЕСЬ ОБЪЯСНИТЬ.*

Как вы понимаете следующие слова и выражения:

- дорогая жизнь;
- хорошая подработка для студента;
- самостоятельный и независимый человек;
- карманные деньги;
- сноб;
- ребёнок в 40 лет;
- собеседование для поступления на работу;
- средняя фирма;
- менеджер по кадрам;
- хорошая зарплата;
- обратная сторона медали.

6. ☞ *РАССКАЖИТЕ:*

❑ об идеальной для вас работе после окончания университета;
❑ о том, как студенты подрабатывают в вашей стране;
❑ о том, каким способом можно найти хорошую работу.

7. ☎ *ПОГОВОРИМ.*

Вы когда-нибудь подрабатывали? Где и кем? Вам понравился ваш опыт работы? Довольны ли вы были зарплатой?

Чья система воспитания детей по отношению к деньгам вам нравится больше: русская или американская? Почему?

Вредит ли подработка учёбе? Обоснуйте своё мнение.

Как родители в вашей стране относятся к тому, чтобы их дети подрабатывали?

Как вы думаете, сколько карманных денег нужно студенту? На что студенты их обычно тратят?

8. ✗ *ПОСПОРИМ.*

Из двух противоположных мнений выберите то, которое вам ближе, и аргументированно отстаивайте его.

Вы считаете, что студенты должны сами зарабатывать на карманные расходы, а не просить у родителей.

Ваша задача — отстоять правильность своего мнения. Если возможно, то привести убедительные примеры его правильности.

Вы считаете, что совмещать работу и учёбу нельзя.

Ваша задача — доказать свою точку зрения.

Вы считаете, что в этом вопросе возможен компромисс.
Ваша задача — показать, что это возможно, и привести примеры.

ЛЕКСИКО-ГРАММАТИЧЕСКИЕ ЗАДАНИЯ

9. ☼ *УЗНАЙТЕ*.
Глагол **работать** с приставками. *Отглагольные существительные.*

1.
> **Работать (поработать)** где? кем? как долго?
> *Значение СВ: работать недолго, немного*

Сначала я **работал** *официантом в кафе*, а потом **поработал** учителем английского языка *в школе*.
После занятий я решил *немного* **поработать** *в библиотеке*.
Компьютер **поработал** *несколько дней* и сломался.

2.
> **Работать (заработать)**
> *Значение СВ: начать работать (только предмет)*

Два часа мы чинили компьютер, и, наконец, он **заработал**.

3.
> **Зарабатывать (заработать)** как? сколько? на что?
> *Значение: получать за работу что-то (деньги и др.)*

Мой отец работает много и **зарабатывает** *хорошо*.
Я работал неделю и **заработал** *2 тысячи рублей*.
Я решил сам **заработать** *на путешествие* в Россию.

> **Заработок** кого? (у кого?) какой?

Заработки *у врачей и учителей* в России сейчас *низкие*.

Внимание! Заработная плата = зарплата

> **Зарплата** кого? (у кого?) какая?

Зарплата *юристов высокая*.

4.
> **Подрабатывать (подработать)** где? кем? чем?
> *Значение: зарабатывать где-то дополнительно*

Студенты **подрабатывают** *в фирмах переводчиками*, а преподаватели **подрабатывают** *частными уроками*.

> **Подработка** где? кем? какая?

Она нашла хорошую **подработку** *официанткой в кафе*.

5. > **Проработать** (только СВ) кем? где? как долго?
> *Значение: работать какой-либо срок (чаще долго)*

Мой отец **проработал** *в своей компании почти 20 лет*, а мама **проработала** *преподавателем в университете пять лет*.

6. > **Отрабатывать** (**отработать**) где? кем? как долго?
> *Значение: работать какой-либо срок (чаще недолго)*

Она **отработала** *в деканате секретарём две недели* и ушла.

7. > **Отрабатывать** (**отработать**) что? как?
> *Значение: упражняясь, добиться хорошего выполнения*

Тебе нужно *хорошо* **отработать** *то, что ты будешь говорить на собеседовании*.
Я не очень люблю **отрабатывать** *грамматические правила*, но это необходимо.

> **Отработка** чего?

Отработка *поворота* заняла у меня почти три дня.

8. > **Разрабатывать** (**разработать**) что?
> *Значение: тщательно, во всех деталях подготовить*

Нам нужно сначала **разработать** *маршрут* нашего путешествия.

> **Разработка** чего?

Разработка *маршрута* вызвала ужасные споры.

9. > **Перерабатывать** (**переработать**) что?
> *Значение: переделать, изменить, сделать дополнительную обработку*

Мне пришлось **перерабатывать** *свою статью* дважды.

Переработка чего?

Мне пришлось потратить много времени на **переработку** *проекта*.

10. **Перерабатывать (переработать)**
Значение: работать дольше положенного времени

Если вы будете **перерабатывать** на работе, то это время должно быть оплачено.

Переработка

Ему заплатили за **переработку**.

11. **Заработаться** (только СВ)
Значение: работать слишком долго, уйти в работу с головой, устать от работы

Она так **заработалась**, что не услышала звонок телефона.
Я совсем **заработался**: уже ничего не понимаю.

12. **Срабатываться (сработаться)** с кем?
Значение: найти полное взаимопонимание и достичь согласованности в работе

Он не смог **сработаться** *с коллегами*, и ему пришлось уйти.

10. ✍ *ПРОВЕРЬТЕ СЕБЯ.*
Вставьте нужные слова. Используйте информацию из задания 9.

Когда я решил … после учёбы, я не думал, что это будет так трудно. Когда я … три дня, я думал, что меня выгонят. Мне не хватало опыта, я никак не мог организовать своё время и поэтому часто не успевал и … . Тогда я решил … системный подход к своей работе. Когда мой шеф предупреждал меня о будущих переговорах, то дома я сначала … термины и фразы, которые могут мне понадобиться, … возможные варианты развития переговоров. Очень трудно было делать письменные переводы. Свой первый перевод я … пять раз и всё равно результат был не блестящий. В конце концов я так … , что стал пропускать занятия. Так я … ещё две недели и вдруг понял, что дело пошло легче. А самое главное я хорошо … с моими коллегами и шефом, которые помогали мне во всём. Я получил хорошую … , но теперь я точно знаю, как трудно … большие деньги. Согласны?

11. ✍ *ПРЕДСТАВЬТЕ СЕБЯ НА МЕСТЕ ДРУГОГО И РАССКАЖИТЕ.*

Вы — коллега Стива. Он часто обращается к вам за советом. Расскажите о нём и о его проблемах.

12. ✎ *ПРИДУМАЙТЕ, РАССКАЖИТЕ И ЗАПИШИТЕ.*

Придумайте, расскажите и запишите историю о том, как вы подрабатывали:

✎ личным водителем у богатого, но капризного человека;

✎ репетитором по иностранному языку;

✎ официантом в итальянском ресторане.

13. ☎ *ПОГОВОРИМ.*

Обоснуйте своё мнение.

Согласны ли вы со Стивом в том, что зарабатывать большие деньги очень трудно?

Согласились ли бы вы подрабатывать так, как герой?

Как вы думаете, что самое важное для человека, который начинает работать или подрабатывать где-либо?

14. ✋ *ОБЪЯСНИТЕ И ЗАПОМНИТЕ.*

Хорошая русская пословица. Согласны ли вы с ней? Есть ли в вашем языке аналогичная пословица? Попробуйте сформулировать её по-русски.

Работа не волк — в лес не убежит.

15. ☀ *УЗНАЙТЕ, ПОЙМИТЕ РАЗНИЦУ И СХОДСТВО.*

Словообразование: различные средства → сходные значения.

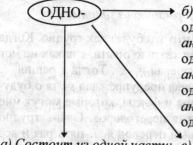

ОДНО-

б) Имеет один признак:
однообразие — однообразный
антоним: разнообразие — разнообразный
односторонность — односторонний
антоним: разносторонность — разносторонний
однозначность — однозначный
антоним: многозначность — многозначный
однолюб

а) Состоит из одной части:
одноэтажный
однокомнатный
одноногий
одноместный

в) Имеет одинаковый признак с кем-то:
одноклассник
однофамилец
одногодок

96

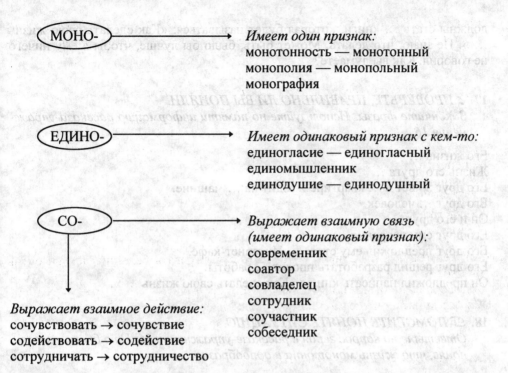

МОНО- → Имеет один признак:
монотонность — монотонный
монополия — монопольный
монография

ЕДИНО- → Имеет одинаковый признак с кем-то:
единогласие — единогласный
единомышленник
единодушие — единодушный

СО- → Выражает взаимную связь
(имеет одинаковый признак):
современник
соавтор
совладелец
сотрудник
соучастник
собеседник

Выражает взаимное действие:
сочувствовать → сочувствие
содействовать → содействие
сотрудничать → сотрудничество

Внимание! *Слова похожие, но разные.*

Совместный	Совместимый
• *Что-то, что можно делать вместе, сообща*	• *Такой, который можно сочетать, соединять*

16. ✍ ПРОВЕРЬТЕ СЕБЯ.
Вставьте подходящие по смыслу слова. Используйте информацию из задания 15.

Каждый день в моей жизни похож один на другой. Моя жизнь … . Мне страшно надоело это … и я решил изменить свою жизнь. Я рассказал об этом своему другу. Ему тоже 22 года, мы с ним … . Мой друг очень … человек: он увлекается спортом, интересуется кино и музыкой, читает философские книги. Когда я рассказывал ему о своей … жизни, он мне искренне … , потому что его жизнь очень … . Он живёт в маленькой … квартире и ездит на маленькой … машине. Он предложил мне открыть Интернет-кафе и стать … его. Мне кажется, что это совершенно утопическая идея, но он настаивает на том, что мы должны разработать проект нашей … работы. Его настойчивость меня испугала. Мне кажется, что наши взгляды на жизнь … . А он говорит, что мы должны стать … книги, которая будет называться: «Как сделать свою жизнь … ». Не знаю, что делать. Может быть, было бы лучше, чтобы я ему ничего не говорил. Как вы думаете?

17. ✍ *ПРОВЕРЬТЕ, ПРАВИЛЬНО ЛИ ВЫ ПОНЯЛИ.*
Закончите фразы. Используйте по памяти информацию рассказа-упражнения 16.

Его жизнь …
Жизнь его друга …
Его друг живёт в … квартире и ездит на … машине.
Его друг … человек.
Он и его друг …
Его друг ему искренне …
Его друг предложил ему стать … Интернет-кафе.
Его друг решил разработать проект … работы.
Он предложил написать книгу: «Как сделать свою жизнь … ».

18. ☞ *ПОМОГИТЕ ПОНЯТЬ СИТУАЦИЮ.*
Ответьте на вопрос героя в рассказе-упражнении 16. Что бы вы сделали, поняв, что жизнь монотонна и однообразна.

19. ✍ *ПРОВЕРЬТЕ СЕБЯ.*
Замените подчёркнутые фразы адекватными по смыслу.

В школе у меня был один знакомый. Хотя мы не были братьями, но у нас была <u>одна фамилия</u>. Мы <u>учились в одном классе</u>, потому что <u>родились в один год</u>. Мне нравилось общаться с ним, потому что <u>с ним было интересно беседовать</u>, но наши характеры были <u>совершенно противоположными</u>, поэтому мы никогда не были настоящими друзьями. Он был немного странным человеком: он всегда готов был <u>помогать в решении</u> твоей проблемы, но никогда не <u>относился с участием</u>, если тебе не повезло. Это был самый умный человек, которого я встречал в своей жизни. Потом долгое время я почти ничего не знал о нём. Я только слышал, что он стал <u>работать в крупной финансовой компании</u>, вместе с другим финансистом стал <u>автором</u> интересной идеи. Однажды я открыл газету и увидел фотографию, под которой стояла моя фамилия, и было написано: «Один из тех, кто <u>вместе с председателем банка участвовал в незаконных финансовых операциях.</u>» Это был он.

20. ✎ *РАССКАЖИТЕ И ЗАПИШИТЕ.*
Расскажите получившийся вариант рассказа и запишите его. Сравните два варианта рассказа.

98

21. ☺ *ВАША ВЕРСИЯ.*
Используя слова из задания 15, опишите понятия:

➤ добрый и хороший человек (хороший друг);
➤ холодный человек;
➤ идеальные отношения между разными странами.

22. ✔ *ВСПОМНИТЕ.*
Выражение времени в сложном предложении.

1. ┌───┐
    │ События в главном и зависимом предложениях полностью параллельны │
    └───┘

    Средства выражения: когда, пока, в то время как.

    ━━━━━━━━━━━━━━━━━━━━━━━
    ━━━━━━━━━━━━━━━━━━━━━━━

    Когда я смотрел фильм, я думал о другом (*НВ — НВ*).
    Когда я смотрел фильм, он прочитал статью (*НВ — СВ*).

2. ┌───┐
    │ События в главном и зависимом предложениях частично параллельны   │
    └───┘

    Средства выражения: когда, пока.

    ━━━━━━━━━━━━━━━━━━━━━

    Когда я смотрел фильм, он пришёл ко мне (*НВ — СВ*).
    Когда он пришёл ко мне, я смотрел фильм (*СВ — НВ*).
    Пока я смотрел фильм, он пришёл ко мне (*НВ — СВ*).

Комментарий

● После *пока* может стоять только глагол НВ. *Пока* вводит только более длительное действие.
● После *когда* может стоять глагол и СВ и НВ. *Когда* может вводить как более длительное действие, так и более короткое.

3. ┌───┐
    │ Одно событие закончилось, другое начинается (предшествование)   │
    └───┘

    Средства выражения: перед тем как, до того как, пока не.

    ГП
    ━━━━━━━━━━━━━━━━━━━━━━━
                ЗП
        ━━━━━━━━━━━━━━━━━━━━━━━━━━

    Перед тем как прийти ко мне, он позвонил мне *(СВ инф. — СВ)*.
    До того как приехать в Москву, он жил в Америке *(СВ инф. — НВ)*.
    Пока он **не** приехал в Москву, он жил в Америке *(СВ — НВ)*.

Комментарий

- После *перед тем как, до того как* может стоять глагол в инфинитиве, если всё предложение относится к одному субъекту.
- После *пока не* может стоять только глагол СВ.

4. | Одно событие закончилось, другое начинается (следование) |

Средства выражения: когда, после того как, как только, с тех пор как.

ЗП
_____

ГП
_____

Когда он пришёл домой, он мне позвонил (*СВ — СВ*).
После того как он пришёл домой, он мне позвонил (*СВ — СВ*).
С тех пор как он приехал в Москву, он мне звонил много раз (*СВ — НВ*).

Комментарий

- В предложениях, где используется *с тех пор как*, в главном предложении может стоять только глагол НВ.
- После *с тех пор как* нельзя поставить форму прошедшего времени или императива.

Внимание! Сходство!

С тех пор как ...	=	*С того времени как ...*
С тех пор как я начал работать, у меня стало меньше свободного времени.		С того времени как я начал работать, у меня стало меньше свободного времени.

23. ✖ *ПРОАНАЛИЗИРУЙТЕ И ОБЪЯСНИТЕ.*

Определите, в каких предложениях: а) события полностью совпадают во времени; б) частично совпадают; в) одно событие предшествует другому; г) одно событие следует за другим.

Модель: Когда ты пришёл, я уже пообедал.

▸ Событие *я пообедал* предшествует, так как сначала я закончил обедать, потом он пришёл.

1. Когда я читал газету, я думал о своём однокласснике.
2. Когда я прочитал газету, я думал о своём однокласснике.
3. Когда я читал газету, я подумал о своём однокласснике.
4. Когда я прочитал газету, я подумал о своём однокласснике.
5. Перед тем как прочитать газету, я подумал о своём однокласснике.

100

6. Пока я не прочитал газету, я не думал о своём однокласснике.

7. Как только я прочитал газету, я подумал о своём однокласснике.

8. Как только я узнал об этом, я позвонил ему.

9. До того как она приехала, я успел всё приготовить.

10. Пока я не познакомился с Олегом, у меня не было русских друзей.

11. С тех пор как я начал подрабатывать, я перестал просить деньги у родителей.

12. После того как я вернулся домой, я спал два часа.

13. Когда я спал, зазвонил телефон.

14. После того как я закончу университет, я вернусь домой.

24. ✎ ПРОВЕРЬТЕ СЕБЯ.
Объясните крылатые выражения. Используйте информацию из задания 22.

1. Вера горами двигает.
2. Всё понять — всё простить.
3. Жизнь — борьба.
4. О мёртвых или хорошо, или ничего.
5. После нас хоть потоп.
6. Соединять полезное с приятным.
7. Счастливые часов не наблюдают.
8. Что пройдёт, то будет мило.
9. Аппетит приходит во время еды.

25. ✎ ПРОВЕРЬТЕ СЕБЯ.
Выберите нужный вид глагол и оформите фразу грамматически правильно.

Когда я (учиться) в последнем классе школы, я (интересоваться — заинтересоваться) «психологией войны». Я (интересоваться — заинтересоваться) этой проблемой с тех пор, как я (смотреть — посмотреть) американский фильм о вьетнамской войне. До того как я (смотреть — посмотреть) этот фильм, мне (казаться — показаться), что тема войны устарела. После фильма я (понимать — понять), что война — это не только сражения и генералы. Когда (идти — пойти) война, отношение человека к жизни (меняться — поменяться). Как только война (начинаться — начаться), мир (становиться — стать) чёрно-белым, (разделяться — разделился) на своих и чужих, друзей и врагов. Экстремальная ситуация чётко определяет хорошее и плохое. Когда война (заканчиваться — закончиться), поведение, характер человека в мирное время (меняться — поменяться). В то время как один человек не (мочь — смочь) вернуться в мир, где опять непонятно: друг или враг, свой или чужой, другой (бросаться — броситься) в удовольствия, третий (терять — потерять) психическое здоровье, (видеть — увидеть) смысл жизни в убийстве. Когда я (думать — подумать) об этом, мне (хотеться — захотеться) помочь этим людям найти своё место в жизни.

26. ☎ *ПОГОВОРИМ.*

Актуальна ли сегодня тема войны и её влияния на человека? Почему?

Согласны ли вы, что «экстремальная ситуация чётко определяет хорошее и плохое»?

Согласны ли вы, что во время войны отношение человека к жизни меняется? Если да, то каким образом?

27. ✍ *РАССКАЖИТЕ И ЗАПИШИТЕ.*

Составьте и напишите мини-рассказ о своих интересах. Максимально используйте конструкции времени в простом и сложном предложении.

Когда и почему у вас появился интерес к чему-то?

Интересует ли вас это сейчас или у вас появились другие интересы?

Были ли связаны ваши детские интересы с выбором профессии?

28. ☼ *УЗНАЙТЕ.*

Выражение согласия и несогласия с мнением.

Выражение согласия

Я (частично, полностью, абсолютно) согласен (с кем? с чем? в чём?)

Я должен согласиться с этим.

С этим нельзя не согласиться.

С этим приходится согласиться.

Я разделяю ваше мнение (точку зрения) — *офиц.*

С этим трудно спорить.

Это бесспорно.

Я — за (что?).

У меня нет (никаких) возражений против этого.

Без всякого сомнения.

Выражение несогласия

Я (совершенно, категорически, абсолютно) не согласен.

Я (совершенно, категорически, абсолютно) не могу с этим согласиться.

У меня другое (противоположное) мнение по этому поводу.

У меня другая (противоположная) точка зрения (на что?)

Это спорно.

С этим можно поспорить.

У меня это вызывает (большие) сомнения.

С этим нельзя не поспорить.

Я против (чего?).

Я (категорически) возражаю против этого.

У меня есть возражения.

Я не разделяю ваше мнение (вашу точку зрения) — *офиц.*

Ничего подобного — *разг.*

Внимание!

- Если вы полностью согласны с высказанным мнением, то используется средство выражения полного согласия:
  Я согласен с чем? (с этим).
  Например: Я полностью согласен с вашими аргументами.
- Если вы частично согласны с высказанным мнением, то используется средство выражения частичного согласия:
  Я согласен в чём? (в том, что…).
  Например: Я могу согласиться с вами лишь частично. Я согласен с вами только в анализе наших проблем, но совершенно не согласен в вопросе об их причинах.

---

29. ✗ *ПОСПОРЬТЕ С ВЕЛИКИМИ.*
Выразите своё согласие или несогласие со следующими высказываниями.
Аргументируйте своё мнение.

С милым рай и в шалаше.

Злые языки страшнее пистолета.

Быть можно дельным человеком и думать о красе ногтей.

В России две беды: дороги и дураки.

Где хорошо, там и родина.

Деньги не пахнут.

Каждый народ имеет то правительство, которое он заслуживает.

Лучше умереть стоя, чем жить на коленях.

Ужасный век! Ужасные сердца!

Не хочу учиться, хочу жениться.

О люди! Жалкий род, достойный слёз и смеха.

Женщина, старающаяся походить на мужчину, так же уродлива, как женоподобный мужчина.

30. ☺ *ВАША ВЕРСИЯ.*
Постарайтесь догадаться, кому принадлежат высказывания из задания 29. Используйте слова, которые выражают: а) уверенность: конечно, очевидно, несомненно, без всяких сомнений, естественно; *б) неуверенность:* может быть, по-видимому, возможно, вероятно. *Аргумен-*

тируйте своё мнение. Подумайте, в каком контексте это могло быть сказано.

Слова из народной песни.

А. С. Грибоедов.

А. С. Пушкин.

Н. В. Гоголь.

Цицерон.

Римский император Веспасиан.

Жезеф де Местр, посол Сардинии в России в XIX веке.

Испанская коммунистка Долорес Ибаррури.

А. С. Пушкин.

Д. И. Фонвизин.

А. С. Пушкин.

И. Шиллер, слова из трагедии «Разбойники»

Древневосточный поэт.

Л. Н. Толстой.

ДИАЛОГ

— Слушай, а почему ты не хочешь найти себе подработку?

— Жизнь такая длинная, я ещё успею поработать. И потом мои родители считают, что работа помешает учёбе, поэтому они готовы полностью обеспечивать меня, пока я учусь. Я согласен с ними.

— В чём согласен? В том, что работа мешает учёбе, или в том, что родители должны обеспечивать своих взрослых детей?

— Во всём. А разве ты не согласен с этим?

— Категорически нет.

— Но ты сам говорил, что с тех пор как начал подрабатывать, ты стал пропускать занятия.

— Ты прав. Но я уверен, что это временно. Просто я не мог правильно организовать своё время, но сейчас я разработал чёткую систему подготовки к работе, и мне сразу стало легче.

— Всё-таки я не могу согласиться, что подрабатывать во время семестра — это хорошо. Ты всегда хорошо учился, у тебя есть способности к языкам. А другие? Им нужно намного больше времени для подготовки.

— С этим тоже можно поспорить. Например, такая работа, как у меня, даёт хорошую практику в языке. Конечно, сначала было много ошибок, но надо же когда-то начинать.

— Да, с этим можно согласиться. Но такую подработку трудно найти. Тебе повезло.

— Ничего подобного. Это не так трудно, как кажется. Если ты в принципе согласен попробовать, то я тебе помогу. Ну, как?

— Хорошо, если ты мне поможешь, то я — за.

31. 🗣 *РАССАЖИТЕ И ЗАПИШИТЕ.*

Передайте содержание диалога в форме рассказа. Начните: «Однажды два друга поспорили о том, …».

32. ✗ *ПОСПОРИМ.*

Выберите из двух точек зрения ту, которая вам ближе, и аргументированно отстаивайте её.

Вы — человек, который считает, что сейчас «ужасный век, ужасные сердца», ваш взгляд на будущее пессимистичен.

Ваша задача — аргументировать свою точку зрения и доказать, что вы правы.

Вы — человек, который считает, что во все века люди думали, что их век ужасный и ужасные сердца, и наш век не хуже, а, может быть, лучше других.

Ваша задача — аргументировать свою точку зрения и убедить собеседника в своей правоте.

33. 👍 *МЫ ВАС СЛУШАЕМ. ВЫСКАЖИТЕСЬ.*

Выберите одну из тем и выскажитесь по ней. Время — 10 минут.

✗ Подрабатывать или нет?

✗ Идеальная подработка для студента.

✗ Деньги не пахнут и для достижения цели все средства хороши или …?

✗ Однообразная жизнь: менять или не менять? Если менять, то как?

✗ Человек и война.

🔑 КЛЮЧИ К ЛЕКСИКО-ГРАММАТИЧЕСКИМ ЗАДАНИЯМ

10. Подрабатывать, проработал (отработал), перерабатывал, разработать, отрабатывал, разрабатывал, перерабатывал, заработался, проработал, сработался, зарплату, зарабатывать.

16. Однообразна, однообразие, одногодки, разносторонний, монотонной, сочувствовал, разнообразна, однокомнатной, одноместной, совладельцем, совместной, несовместимы, соавторами, разнообразной.

19. Хотя мы не были братьями, мы были однофамильцами. Мы были одноклассниками, потому что были одногодками. Мне нравилось общаться с ним, потому что он был интересным собеседником, но наши характеры были несовместимы … . … он всегда был готов содействовать решению твоей проблемы, но никогда не сочувствовал, если тебе не повезло. … он стал сотрудником крупной финансовой компании и соавтором интересной идеи.
Один из тех, кто был соучастником незаконных финансовых операций.

23. 1. Полностью совпадают; 2. следуют друг за другом; 3. частично совпадают; 4. следуют друг за другом; 5. событие в главном предшествует событию в зависимом; 6. событие в зависимом предложении предшествует событию в главном; 7. событие в главном следует за событием в зависимом; 8. событие в главном следует за событием в зависимом; 9. событие в главном предшествует; 10. событие в главном предшествует; 11. событие в главном следует; 12. событие в главном следует; 13. частично совпадают; 14. событие в главном следует.

24. 1. Когда человек по-настоящему верит во что-то, он может добиться всего, чего хочет. 2. После того как человек полностью понял поступки другого, он может простить. 3. Пока человек живёт, он должен бороться за себя, свои идеи, свою жизнь. 4. После того как человек умер, о нём нельзя говорить плохо: лучше промолчать. 5. После того как нас не будет на Земле, нам наплевать на то, что будет на Земле. 6. Когда что-то делаешь, то хорошо, чтобы это было и полезно, и приятно. 7. Пока человек счастлив, он не замечает, как проходит время. 8. Когда после события пройдёт много времени, мы вспоминаем о нём, как о чём-то далёком, но приятном. 9. Как только начинаешь что-то делать, чем-то заниматься, появляется желание сделать это лучше или получить от этого больше.

25. Учился, заинтересовался, заинтересовался, посмотрел, посмотрел, казалось, понял, идёт, меняется, начинается, становится, разделяется, заканчивается, меняется, может, бросается, теряет, видит, подумал, захотелось.

VI. РАЗВЛЕЧЕНИЯ И УВЛЕЧЕНИЯ

РАССКАЗ И ЗАДАНИЯ К НЕМУ

МОИ РАЗВЛЕЧЕНИЯ

К сожалению, на развлечения у меня остаётся немного времени. Но всё-таки по выходным мы с друзьями стараемся придумать что-нибудь интересное и приятно провести время вместе. Вообще все мои развлечения связаны с увлечениями. Например, я люблю играть в биллиард, поэтому хожу в биллиардную. У меня есть небольшая постоянная компания друзей-биллиардистов. Обычно тот, кто проиграл, приглашает всех в кафе или недорогой ресторан или просто угощает пивом. После ресторана я обычно иду развлекаться на дискотеку. Там я могу провести всю ночь. Иногда мне кажется, что единственное, что я могу делать классно, — это танцевать. Даша тоже отлично танцует, поэтому многие считают, что мы — самая лучшая танцевальная пара в институте. Конечно, это приятно слышать, но самое главное, что танцы дают нам просто огромное удовольствие. Ещё одно моё большое увлечение — это кино. Честно говоря, хотя я американец, я не люблю американское кино, особенно ненавижу боевики и фильмы ужасов. Но я с большим удовольствием смотрю хорошее русское и европейское кино. Сейчас в Москве открылось несколько очень хороших и современных кинотеатров, например «Кодак киномир» или «Пушкинский», где идут самые последние фильмы. Здесь собирается «золотая молодёжь» Москвы, потому что считается, что ходить в такие кинотеатры — модно и престижно. Лично я предпочитаю смотреть фильмы дома, на видео. Не люблю, когда рядом много людей, и кто-то ест, кто-то спит, кто-то разговаривает, — всё это мешает сосредоточиться на фильме. Хотя, конечно, в кинотеатре впечатления от фильма могут быть гораздо сильнее.

Очень большое место в моей жизни занимает музыка. Как и танцы, я её обожаю и могу слушать весь день. Я слушаю музыку, даже когда делаю домашние задания или готовлюсь к экзаменам. Она мне не только не мешает, но и помогает. Как только я просыпаюсь, я сразу включаю магнитофон. Под музыку я всё делаю быстрее. Что касается любимых музыкальных направлений, то мне нравится почти всё, за исключением рейва и очень тяжёлого металлического рока. Выбор того, что слушать в данный момент, зависит от настроения и от времени дня. Раньше я был совершенно равнодушен к классической музыке. Но сейчас, когда у меня депрессия и кажется, что всё плохо и уже никогда не будет хорошо, я покупаю билет и иду на концерт классической музыки. Может быть, это звучит странно, но она меня утешает. В другое время я не слушаю её никогда.

Если говорить о театре, то должен признаться, что я не люблю ходить в театры. Когда я смотрю спектакль, то всегда чувствую, что актёры притворяются, именно играют, а не живут. Я знаю, что для многих это звучит глупо, но это моё мнение и я его никому не навязываю.

1. 📖 **ПРОЧИТАЙТЕ.**
Внимательно прочитайте рассказ.

2. ❓ **ОТВЕТЬТЕ НА 5 «ПОЧЕМУ».**
При ответе используйте информацию из рассказа.

Почему на дискотеке он может провести всю ночь?
Почему он предпочитает смотреть фильмы на видео?
Почему он обожает музыку?
Почему он слушает классическую музыку, только когда у него депрессия?
Почему он не любит ходить в театры?

3. ☺ **ВАША ВЕРСИЯ.**
При ответе выскажите собственное мнение.

Почему на развлечения у него остаётся мало времени?
Почему он так хорошо танцует?
Почему он не любит американское кино?
Почему ему не нравится рейв и тяжёлый рок?

4. ☻ **ВОЗРАЗИТЕ ИЛИ СОГЛАСИТЕСЬ.**
Обоснуйте своё мнение.

Студенты тратят мало времени на развлечения.
Единственное, что он делает классно, — это танцует.
Танцы и музыка дают огромное удовольствие.
Американские фильмы скучные и глупые.
Фильмы лучше смотреть на видео.

108

Рейв и тяжёлый рок — неприятная музыка.

Если у человека депрессия, то лучше всего слушать классическую музыку.

Его мнение о театре глупо.

5. ✍ *ПОСТАРАЙТЕСЬ ОБЪЯСНИТЬ.*

   Что, по-вашему, значат эти слова и выражения:

- золотая молодёжь;
- модная молодёжная дискотека;
- скучный и глупый фильм;
- боевик;
- депрессия;
- модно и престижно;
- самая лучшая музыка;
- пустые развлечения.

6. 🗂 *РАССКАЖИТЕ:*

- о самых модных студенческих развлечениях в Москве;
- о самых модных студенческих развлечениях в вашей стране;
- об опасных, на ваш взгляд, развлечениях.

7. ☎ *ПОГОВОРИМ.*

Как и где вы обычно развлекаетесь здесь? Отличаются ли развлечения русских студентов от развлечений студентов других стран? В чём?

Сколько карманных денег вы тратите на развлечения в месяц? А сколько хотели бы тратить?

Чем вы увлекаетесь? Связаны ли ваши увлечения с вашими развлечениями? Вы часто меняете увлечения или они сохраняются у вас долгие годы? Как вы думаете, что значит «увлекающийся человек»? Вы можете относити себя к увлекающимся людям?

Какие фильмы и где вам нравится смотреть? Почему? Какие фильмы вы не любите смотреть? Почему?

У вас есть любимое направление в музыке? Какое? Почему вам нравится именно эта музыка, а не другая? Какую музыку вы предпочитаете слушать, когда вам плохо?

Любите ли вы танцевать и развлекаться на дискотеках? Почему?

Как вы относитесь к классической музыке? Почему?

Как вы относитесь к театру? Почему?

Какие ещё интересные развлечения можно назвать?

8. ≈ *ПОФАНТАЗИРУЙТЕ.*

У вас завтра абсолютно свободный день, достаточно денег и хорошая компания. У вас есть возможность полностью посвятить этот день развлечениям и потратить на них все деньги. Разработайте программу ваших развлечений на завтрашний день и обоснуйте её.

9. ✗ *ПОСПОРИМ.*
Из двух противоположных мнений выберите то, которое вам ближе, и аргументированно защищайте его.

Вы считаете, что в Москве очень мало интересных развлечений. Всё слишком дорого и часто бывает опасно. Вы предпочитаете развлечения дома с друзьями.
Ваша задача — доказать собеседнику, что вы правы, и убедить его пойти к вашим друзьям в гости.

Вы считаете, что в Москве можно классно развлекаться. Есть много интересных мест и хороших возможностей для развлечений.
Ваша задача — доказать, что вы правы, и убедить собеседника сходить с вами в какое-нибудь интересное место.

ЛЕКСИКО-ГРАММАТИЧЕСКИЕ ЗАДАНИЯ

10. ⚒ *ВСПОМНИТЕ И УЗНАЙТЕ.*
Слова и конструкции по теме «Увлечения и развлечения».

1. | **Развлекать (развлечь)** кого? чем? |

Мой друг любит **развлекать** *гостей игрой* на гитаре.
Я старался, но мне так и не удалось *ничем её* **развлечь.**

2. | **Развлекаться (развлечься)** где? как? с кем? |

В Италии мы *с друзьями отлично* **развлекались** *на дискотеках.*

3. | **Развлечения** чьи? |
   | **Развлечения связаны** с чем? |
   | **касаются** чего? |

Все *мои* **развлечения связаны** *со спортом.*
Все *мои* **развлечения касаются** *спорта.*

110

Развлечения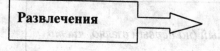

Опасные
Разнообразные — однообразные
Интересные — скучные
Пустые
Глупые
Модные — старомодные
Спокойные — шумные

4. **Развлекательный**

В метро я люблю читать **развлекательные** журналы.

5. **Увлекать (увлечь)** кого? чем?

Он **увлёк** *меня горными лыжами.*

6. **Увлекаться (увлечься)** чем? как?

Она *серьёзно* **увлекается** *танцами.*

7. **Увлечения** чьи? чем?
Увлечения связаны с чем?
касаются чего?

Мои **увлечения связаны** *с искусством.*
Мои **увлечения касаются** *искусства.*

Увлечения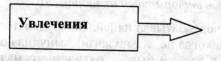

Серьёзные — несерьёзные
Глубокие — поверхностные
Разнообразные

8. **Увлекательный**

Фильм был такой **увлекательный**, что мы не заметили, как прошло два часа.

9. **Привлекать (привлечь)** кого? к чему?
Привлекать (привлечь) кого? = интересовать

Он **привлёк** *меня к занятиям* теннисом.
Теннис *меня* **не привлекает.**
Выражение: привлекать внимание кого? к чему?
Ректор **привлёк внимание** *студентов к проблемам* университета.

Привлекательный
Значения: а) заманчивый, интересный (на первый взгляд, чисто
с внешней стороны
б) симпатичный (о внешности человека)

Ваша идея не кажется мне **привлекательной**.
Для меня бокс — не очень **привлекательный** вид спорта.
Она очень **привлекательная** девушка.

10. **Отвлекать (отвлечь) кого? от чего?**

Отвлечь *студентов от наркотиков* — задача трудная, но выполнимая.
Я не хочу **отвлекать** *вас от работы*.

11. **Отвлекаться (отвлечься) от чего?**

Он не хотел **отвлекаться** *от интересной передачи*.

Это полезно знать!

Быть (совершенно, абсолютно) равнодушным к чему?

Я всегда был совершенно равнодушен к спорту.

11. ⏳*ПРОВЕРЬТЕ СЕБЯ.*
Вставьте нужные слова. Пользуйтесь информацией из задания 10.

Только не смейтесь, но однажды я подрабатывал няней. Не трудно догадаться, что идея работать няней меня никогда не … , но жизнь вынудила согласиться на это. Четыре часа в день я должен был … пятилетнего мальчишку. Я вам скажу, что … детей — это самая трудная работа. Мой парень был капризный и избалованный. Сначала мы смотрели с ним разные … фильмы. Но потом ему надоело, и он стал требовать более … … . Он … машинками, поэтому мы часто играли в машинки. Конечно, машинкой был я. Я был «фордом» и «кадиллаком», огромным грузовиком и машиной для инвалидов. Это был кошмар. Мой дружок был совершенно равнодушен к книгам. Как только я брал книгу, он сразу начинал … и петь глупые песенки. Чтобы … его внимание, мне приходилось опять становиться машинкой. И все-таки я твёрдо решил … его книгами. Я стал не читать, а рассказывать ему … истории. Он слушал, открыв рот, но как только я брал книгу, он начинал кричать: «Убери! Убери! Убери!». Я не мог понять, почему у него такая ненависть к книжке. Но в конце концов хитрость и опыт победили.

Он все-таки … книгами, а я … воспитанием. После того как история в книжке заканчивалась, он устраивал мне маленький спектакль. Обычно это было очень смешно, и я смеялся до слёз. Уже было непонятно, кто кого … . Сейчас я даже скучаю по нему.

12. 👥 *ПРЕДСТАВЬТЕ СЕБЯ НА МЕСТЕ ДРУГОГО И РАССКАЖИТЕ.*
   Сформулируйте высказывание, представив, что вы:

▪ вы — тот мальчишка, но ему сейчас уже лет 20. Вы хорошо помните свою «няню». Расскажите о том, как она развлекала вас;
▪ вы — мама этого мальчишки. Расскажите, что заставило вас пригласить няню для ребёнка, как вы её искали, какое впечатление на вас произвёл Стив.

13. ✍ *ПРИДУМАЙТЕ И ЗАПИШИТЕ.*
   Придумайте и запишите историю о том, как вы развлекали и чем пытались увлечь:

✎ капризную девушку;
✎ четырнадцатилетнего подростка;
✎ старенькую бабушку;
✎ своего знакомого, который приехал на несколько дней в Москву.

14. ☎ *ПОГОВОРИМ.*

Согласны ли вы с героем, что развлекать маленьких детей — это самая трудная работа.

Согласились бы вы подрабатывать няней? Как бы вы развлекали «вашего» ребёнка? Чем попытались бы его увлечь, чтобы отвлечь от капризов?

Расскажите, что он придумал в конце концов, чтобы увлечь ребёнка книгами?

Как вы думаете, почему ребёнок ненавидел книги?

Согласны ли вы, что опыт и хитрость всегда побеждают?

15. ✋ *ОБЪЯСНИТЕ И ЗАПОМНИТЕ.*
   Хорошие русские поговорки. Согласны ли вы с ними? Есть ли в вашем языке аналогичные пословицы? Попробуйте сформулировать их по-русски.

Маленькие детки — маленькие бедки, большие детки — большие бедки.
Дети — цветы жизни.

16. ☼ *УЗНАЙТЕ + ПРОВЕРЬТЕ СЕБЯ.*

Глаголы и существительные иноязычного происхождения. Заполните таблицу.

Существительное	Глагол
Демонстрация стабилизация изоляция активизация автоматизация конкуренция классификация информация	Демонстрировать стабилизировать
ирония бойкот гарантия реклама фотография транспорт финансы реформа	иронизировать бойкотировать
нормализация нейтрализация организация	нормализовать

17. ☺ *ВАШИ ИДЕИ.*

Используя информацию из задания 16, скажите, что необходимо предпринять для:

➢ улучшения экономики в России;
➢ улучшения экологической обстановки на Земле.

18. ✎ *ПРОВЕРЬТЕ СЕБЯ.*

Замените подчёркнутые иностранные слова русскими эквивалентами, где это возможно. Запишите получившийся вариант.

Если вы хотите абсолютно абстрагироваться от ваших проблем и развлечься, то можете посмотреть новую экспозицию или пойти на презентацию. Богатая презентация гарантирует вам вкусный фуршет и небольшое шоу после него. Публика на презентации любит демонстрировать престижные модели одежды от кутюр. Здесь идёт <u>кошмарная конкуренция</u>: у кого <u>престижнее</u>. Прекрасные девушки будут <u>дефилировать</u> мимо вас, <u>абсолютно игнорируя</u> ваши предложения пойти на <u>демонстрацию</u> последнего фильма в кинотеатре «Кодак киномир». У вас <u>моментально</u> появилась <u>депрессия</u>? Ничего, всё будет <u>о'кей</u>. Чтобы <u>нейтрализовать негативный эффект</u>, который произвели на вас дамы, <u>иронизируйте</u> над ними и над собой. И если в следующий раз ваш приятель <u>проинформирует</u> вас об очередной <u>презентации</u> или <u>рекламной акции</u> — <u>бойкотируйте</u> их и ваше отношение <u>к реальности</u> всегда будет <u>позитивным</u>.

19. ✂ *СРАВНИТЕ И ПРОАНАЛИЗИРУЙТЕ.*

Сравните два варианта текста (задание 18) и ответьте на вопросы.

Какой вариант текста вам нравится больше? Почему?

Какой эффект создаётся при использовании большого количества иностранных слов?

В каких текстах использование большого количества иностранных слов считается обычным?

Как вы думаете, почему в некоторых случаях замена иностранных слов на русские эквиваленты невозможна?

20. ☎ *ПОГОВОРИМ.*

Как вы относитесь к тому, что в языке появляется всё больше и больше иностранных слов? Дайте свою оценку этому факту.

Происходит ли данный процесс в вашем родном языке? Приведите примеры иностранных слов, которые есть в вашем языке.

Возможно ли, чтобы процесс заимствования иностранных слов не происходил? Как вы думаете, почему в последнее время в русском языке появилось так много заимствованных слов? Это общемировая тенденция или данный процесс присущ только России?

Как вы думаете, появится ли когда-нибудь общий язык для всех людей, которые живут на Земле? Обоснуйте своё мнение.

21. ☼ *УЗНАЙТЕ.*

Выражение сравнения и сопоставления.

1. | **По сравнению** с кем? с чем? |

По сравнению *с Петербургом Москва* старше.

2. | **В отличие** от кого? чего? |

В отличие *от моей сестры* я всегда увлекался иностранными языками.

115

5*

3. ┌─────────────────────────────────────┐
   │ **В противоположность** кому? чему? │
   └─────────────────────────────────────┘

В противоположность *американским студентам* русские реже подрабатывают.

4. ┌──┐
   │ Кто$_1$ (что$_1$) … , кто$_2$ (что$_2$) **же** … │
   └──┘

Мой брат всегда был отличным спортсменом, *я* **же** ненавидел спорт.

5. ┌───┐
   │ **С одной стороны …, с другой стороны…** │
   └───┘

С одной стороны, мне хочется знать как можно больше языков, а **с другой (стороны)** — мне совершенно не хватает времени, чтобы их учить.

6. ┌──────────────────────┐
   │ **Если …, то …** │
   └──────────────────────┘

Если в Америке студенты больше увлекаются спортом, **то в России** — музыкой и театром.

7. ┌────────────────────────┐
   │ **В то время как** │
   └────────────────────────┘

В то время как отец воспитывал нас с сестрой строго, мама нас баловала.

8. ┌──────────────────┐
   │ **Тогда как** │
   └──────────────────┘

Дедушка ненавидел путешествовать и предпочитал сидеть дома, **тогда как** бабушка была большая любительница посмотреть мир.

9. ┌────────────────────────┐
   │ **Между тем как** │
   └────────────────────────┘

Между тем как (в то время как) мой друг развлекается день и ночь, я работаю няней с избалованным мальчишкой.

10. ┌────────────────────────────┐
    │ **По мере того как** │
    └────────────────────────────┘

По мере того как я учился воспитывать детей, мне всё больше нравилось общаться с ними.

11. ┌──────────────────────┐
    │ **Чем…, тем…** │
    └──────────────────────┘

Чем дольше я изучаю русский язык, **тем** больше он мне нравится.

116

22. *ПРОВЕРЬТЕ СЕБЯ.*

Правильно соедините две части одного высказывания. Используйте конструкцию чем..., тем... .

Дольше живёшь	Звёзды ярче
Ночь темней	Меньше понимаешь жизнь
Больше люди говорят	Больше женщину мы любим
Меньше он боится смерти	Меньше делают
Меньше нравимся мы ей	Реже удовольствия
Они приятнее	Лучше человек

23. *СРАВНИТЕ И СОПОСТАВЬТЕ.*

Стив постоянно сравнивает американских и русских студентов. Выберите из его списка то, что, на ваш взгляд, в большей или меньшей мере свойственно американским (или вашим) студентам, а что русским, и запишите в колонки. Затем сопоставьте их по этим позициям. Вы можете добавить свои варианты.

Американские студенты (ваши студенты)	Русские студенты

Спортивные, умные, воспитанные, самостоятельные, избалованные, целеустремлённые, добрые, красивые, аккуратные.

Много-мало: курят, читают, пропускают занятия, занимаются, ходят в кино/театр.

Рано-поздно: начинают подрабатывать, женятся, поступают в университет, становятся самостоятельными.

Редко-часто: путешествуют, покупают одежду, общаются с родителями, занимаются домашними делами.

24. *СОПОСТАВЬТЕ.*

Используйте информацию из задания 21 и сопоставьте как можно полнее:

— ваш родной город и город, в котором вы живёте сейчас;
— жизнь ребёнка и жизнь студента;
— характер мужчины и женщины;
— театр и кино;
— русский национальный характер и ваш национальный характер.

ДИАЛОГ

— Что-то я устал страшно. Пора хорошенько развлечься, чтобы отвлечься от работы и учёбы.

— С удовольствием. Я тоже устал как собака. А что ты предлагаешь?

— Только не дискотеку. Это уже надоело. Слушай, я слышал, что в парке Горького появилось новое развлечение — тарзанка. Может быть, попробуем?

— Я боюсь. Мне кажется, что это опасное развлечение.

— С одной стороны, опасное, а с другой — классное. Можно проверить себя — трус ты или нет.

— Давай сделаем так: ты прыгнешь, а я посмотрю. Буду стоять внизу и привлекать внимание девушек к твоему геройскому поступку.

— Не иронизируй. Если не хочешь, не ходи.

— Ну, хорошо, а что мы будем делать потом, если ты останешься жив после такого развлечения?

— Потом я предлагаю сходить поиграть в биллиард и выпить пива. А вечером пойдём в гости к Дашке. У неё праздник.

— Праздник? Какой?

— Она собирается завтра очень коротко постричь свои длинные волосы, а после этого устроить вечеринку, которая называется «Прощай, волосы, здравствуй, новая жизнь».

— Какая же она глупая — постричь такие шикарные волосы. Почему ты её не отговорил?

— Бесполезно. Я уже давно понял, если женщина что-то хочет, то мужчине не стоит возражать. Она всё равно сделает по-своему.

— Мой друг, ты мудр не по годам. Мне нравится программа наших субботних развлечений. Нам осталось только дожить до субботы.

25. ✍ *РАССКАЖИТЕ И ЗАПИШИТЕ.*

Передайте содержание диалога в форме рассказа и запишите его. Начните: «Однажды я понял, что, если хорошенько не развлекусь в выходные, то умру. Тогда я…».

26. ✍ *СОПОСТАВЬТЕ.*

Используя информацию диалога, сопоставьте:

— характеры двух друзей;
— их отношение к разным видам развлечений;
— их отношение к женским поступкам.

27. ☞ 🖐 *СИТУАЦИЯ.*

Вы заняты в выходные. У вас есть работа, которую вам нужно закончить. Вы не собираетесь отдыхать и развлекаться.

118

Ваша задача — отказываться от планов вашего друга развлечься и убедить его в том, что ваша работа важная и срочная.

Вы устали после трудной недели и хотите отдохнуть и хорошо развлечься.

Ваша задача — предложить другу отличный план развлечений и уговорить его отложить работу и пойти вместе с вами.

28. 👍 *МЫ ВАС СЛУШАЕМ. ВЫСКАЖИТЕСЬ.*
   Выберите одну из тем и выскажитесь по ней. Время — 10 минут.

✗ Мои любимые развлечения и увлечения.
✗ Что я думаю о воспитании детей.
✗ Заимствования: хорошо или плохо?
✗ Жизнь в России и жизнь в моей стране.
✗ Отношение к жизни мужчин и женщин: похоже или противоположно?
✗ Окружающий мир глазами детей и глазами взрослых: есть ли разница?

🔑 КЛЮЧИ К ЛЕКСИКО-ГРАММАТИЧЕСКИМ ЗАДАНИЯМ

11. Привлекала, развлекать, развлечение, развлека́тельные, разнообразных развлечений, увлекался, отвлекаться, привлечь, увлечь, увлекательные, увлекся, увлекся, развлекает.

16. Изолировать, активизировать, автоматизировать, конкурировать, классифицировать, информировать;
гарантировать, рекламировать, фотографировать, транспортировать, финансировать, реформировать;
нейтрализовать, организовать.

18. Абсолютно — полностью; абстрагироваться — отвлечься; экспозиция — выставка; презентация — публичное представление *чего?*: здесь замена невозможна; гарантирует — обеспечивает *кого? чем? (кому? что?)*; фуршет — русского эквивалента нет; шоу — представление; публика — люди, народ (разг.); демонстрировать — показывать; престижный — здесь эквивалента нет; модели — образцы; от кутюр — высокая мода; кошмарный — ужасный; конкуренция — соревнование, соперничество; дефилировать — торжественно проходить, шествовать; игнорировать — не замечать (не обращать внимание *на что?*); демонстрация фильма — показ фильма; моментально — сразу, тотчас;

депрессия — подавленность; о'кей — хорошо; нейтрализовать — уничтожить, ослабить; негативный — отрицательный; эффект — воздействие, впечатление; иронизируйте — эквивалента нет (близко: надсмехаетесь); проинформирует — сообщит *кому?;* рекламная акция — эквивалента нет; бойкотируйте — отказывайтесь от них; реальность — действительность; позитивный — положительный.

22. Чем дольше живёшь, тем меньше понимаешь жизнь.

Чем ночь темней, тем звёзды ярче.

Чем больше люди говорят, тем меньше делают.

Чем больше женщину мы любим, тем меньше нравимся мы ей.

Чем реже удовольствия, тем они приятнее.

Чем лучше человек, тем меньше он боится смерти.

VII. КАНИКУЛЫ

РАССКАЗ И ЗАДАНИЯ К НЕМУ

КАК Я ПРОВОЖУ КАНИКУЛЫ

Каникулы я всегда жду с нетерпением. Я одинаково люблю зимние и летние каникулы, но провожу их по-разному. Если на зимние каникулы я всегда езжу путешествовать, то летние я целиком провожу дома, с родителями и сестрой.

К сожалению, зимние каникулы в России короткие, только две недели. Я знаю, что в некоторых странах зимние каникулы продолжаются почти два месяца. С одной стороны, это хорошо, но с другой — я не понимаю, как им хватает времени полностью пройти программу курса. Обычно зимняя сессия легче, чем летняя, — экзаменов меньше. Иногда мне удаётся сдать её быстрее и освободиться на несколько дней раньше, чем официально начинаются каникулы. Это время я целиком посвящаю подготовке к путешествию. Зимой мы путешествуем вчетвером: мой русский друг Макс со своей девушкой и я с Дашей. Ещё осенью мы обсуждаем возможные маршруты путешествий. Самое главное, чтобы они были недалёкие и недорогие, потому что мы не можем себе позволить тратить слишком много и путешествуем экономно. Когда мы выбираем, куда поехать, нам помогает Интернет. По Интернету можно получить любую информацию о путешествиях, заказать номер в гостинице, билеты, узнать, что можно посмотреть и где и как развлечься. Хорошо, что мы студенты, потому что можно пользоваться студенческими льготами и скидками. Вообще для студентов всё намного дешевле.

Зимой мы предпочитаем ездить туда, где можно не только попить пиво, сходить на дискотеку, пообщаться с другими студентами, но и покататься на лыжах, сноуборде или на коньках. Я научился кататься на горных лыжах ещё в Америке, но Даша и Макс раньше совсем не умели кататься. Первый раз мы поехали в Словакию, в Татры, и там я учил их кататься. Может быть, я хороший учитель или они способные ученики, но дело пошло быстро и сейчас они катаются почти, как я. Однажды мы поехали к родственникам Макса, которые живут на севере России, около Мурманска. Я первый раз в жизни видел полярную ночь и северное сияние. Фантастика! Сейчас мы уже опытные зимние путешественники и как жаль, что когда-нибудь я закончу университет и у нас не будет зимних каникул.

Летние каникулы для меня — это совсем другие впечатления. Это семейный отдых, когда все мы собираемся дома и счастливы видеть друг друга. К нам приезжают бабушка с дедушкой. Честно говоря, когда я дома, я никуда не хочу ездить. Бабушка называет меня великий лентяй, а я их — великие путешественники. Они обожают путешествовать, поэтому всегда уговаривают нас съездить куда-нибудь хотя бы на три-четыре дня. Мы берём машину, продукты и едем куда глаза глядят. Каждый раз, когда мы возвращаемся, я думаю: «Какие же они молодцы, что уговорили нас поехать. Это было так забавно».

У каникул есть только один недостаток — они быстро кончаются. Но я не жалею, потому что скоро будут следующие, а вернуться в университет тоже хорошо. Согласны?

1. 📖 *ПРОЧИТАЙТЕ.*
Внимательно прочитайте рассказ.

2. ❓ *ОТВЕТЬТЕ НА 5 «ПОЧЕМУ».*
При ответе используйте информацию из рассказа.

Почему иногда ему удаётся сдать зимнюю сессию раньше?
Почему во время подготовки к путешествию они пользуются Интернетом?
Почему хорошо, что они — студенты?
Почему Макс и Даша быстро научились кататься на горных лыжах?
Почему бабушка называет его великий лентяй, а он её — великая путешественница?

3. ☺ *ВАША ВЕРСИЯ.*
При ответе выскажите собственное мнение.

Почему он ждёт каникулы с нетерпением?
Почему Даша и Макс раньше не умели кататься на горных лыжах?
Почему в России зимние каникулы продолжаются только две недели, а в некоторых странах — два месяца?

4. 🗨 *ВОЗРАЗИТЕ ИЛИ СОГЛАСИТЕСЬ.*
Обоснуйте своё мнение.

Студенты одинаково любят зимние и летние каникулы.
Вы проводите зимние и летние каникулы совершенно по-разному.

122

Зимние каникулы слишком короткие.
Зимняя сессия легче, чем летняя.
Лучше всего путешествовать с друзьями.
Хорошо быть студентом!
Жаль, что после окончания университета не будет каникул.
Летние каникулы лучше всего проводить дома, с семьёй.
Студенты не жалеют, что каникулы кончаются.

5. ☞ *ПОСТАРАЙТЕСЬ ОБЪЯСНИТЬ.*
   Как вы понимаете эти слова и выражения:

- каникулы;
- Интернет;
- сноуборд;
- хорошо провести каникулы;
- путешествовать экономно;
- полярная ночь и северное сияние;
- счастливая семья;
- ехать куда глаза глядят;
- великий путешественник.

6. ✉ *РАССКАЖИТЕ:*

- о том, сколько времени продолжаются зимние каникулы и как обычно студенты их проводят в вашей стране;
- о том, сколько времени продолжаются летние каникулы и как обычно студенты их проводят в вашей стране;
- о том, какие льготы есть у студентов в вашей стране, на что им предоставляются скидки и какие.

7. ☎ *ПОГОВОРИМ.*

Как и где вы обычно проводите зимние каникулы? А летние? Почему?
Как вы относитесь к семейному отдыху? А к отдыху с друзьями? А к отдыху в одиночестве? Почему?
Любите ли вы на каникулах заниматься спортом? Почему?
Где вы предпочитаете путешествовать — дома или за границей? Почему?
Стоит ли экономить во время путешествия или лучше потратить всё, что у вас есть, и даже одолжить на хорошее путешествие?
Какую сумму вы хотели бы потратить на путешествие за границу на две недели? Обоснуйте своё мнение.

8. *Ж СРАВНИТЕ И ВЫБЕРИТЕ.*

Сравните три возможных вида отдыха. Выберите тот, который вам больше нравится. Объясните свой выбор.

— «Ленивый» отдых. Девиз: «Лежать, загорать и ничего не делать».
— «Познавательный» отдых. Девиз: «Чем больше нового посмотреть и узнать, тем лучше».
— «Спортивный» отдых. Девиз: «Спорт, здоровье и правильный образ жизни».

9. *✋ ОБЪЯСНИТЕ И ЗАПОМНИТЕ.*

Хорошие русские пословицы. Согласны ли вы с ними? Есть ли в вашем языке аналогичные пословицы? Попробуйте сформулировать их по-русски.

Кончил дело — гуляй смело.
Делу — время, потехе — час.
Тише едешь — дальше будешь.

10. *≈ ПОФАНТАЗИРУЙТЕ.*

/// Во время летних каникул у вас есть один абсолютно свободный месяц и достаточная сумма денег, которую вы можете полностью потратить. Как, с кем и где вы проведёте этот месяц?
/// Во время зимних каникул у вас есть только одна неделя и ограниченная сумма денег. Как, с кем и где вы хотели бы провести эту неделю?

11. *✗ ПОСПОРИМ.*

Из двух противоположных взглядов на отдых во время летних каникул выберите тот, который вам ближе, и аргументированно отстаивайте его.

Вы хотите провести две недели на море за границей. Вы предпочитаете спокойный «ленивый» отдых, потому что слишком устали.
Ваша задача — выбрать место и предложить своему другу поехать туда. Убедите его в преимуществах именно такого отдыха после напряжённой работы.

Вы хотите провести две недели, путешествуя по России. Вы нигде не были, кроме Москвы.
Ваша задача — выбрать привлекательный маршрут и предложить своему другу поехать с вами. Убедите его в преимуществах вашего варианта.

ЛЕКСИКО-ГРАММАТИЧЕСКИЕ ЗАДАНИЯ

12. ☼ *УЗНАЙТЕ.*
Глаголы движения с приставками.

1.
> **Заходить (зайти)** куда? за кем? за чем?

Я **зайду** *за тобой в общежитие* в два часа.
По дороге в университет я **захожу** *в магазин за продуктами*.

2.
> **Отходить (отойти)** от кого? от чего?

Не **отходи** *от меня*, а то потеряешься в толпе.

3.
> **Подходить (подойти)** к кому? к чему?

Подойди *ко мне*, не бойся, я тебя не съем.

4.
> **Уходить (уйти)** откуда? куда? от кого? к кому?

Я не верю, что ты можешь **уйти** *от меня к другому*.

5.
> **Приходить (прийти)** куда? к кому?

Я **приходил** *к тебе домой* два раза, но тебя не было.

6.
> **Переходить (перейти)** что? через что? куда?

Мы **перешли** *улицу* и увидели твой дом.
Когда он меня увидел, то **перешёл** *на другую сторону*.

7.
> **Выходить (выйти)** откуда? куда?

Мы **вышли** *из дома на улицу* и удивились, что уже вечер.

8.
> **Проходить (пройти)** мимо чего?
> сколько? (*расстояние*)

Мы **прошли** только сто метров, и всё время **проходили** *мимо кафе и ресторанов*.

9. | **Обходить (обойти)** что?
       | вокруг чего?

Мы **обошли** *все магазины*, но не нашли, что нам нужно.
Пока я ждал её, я три раза **обошёл** *вокруг её дома*.
Умный в гору не пойдёт, умный *гору* **обойдёт**.

10. | **Сходить** (только НВ) куда? с кем?

Давай **сходим** *с тобой на концерт*.

11. | **Расходиться (разойтись)**

Нам было так интересно вместе, что мы **разошлись** только после полуночи.

Это полезно знать!

Глаголы движения в переносном значении:
подходить — подойти что? (размер, время, зарплата…)
приходить — прийти к чему? (к выводу, к общему решению)
проходить — пройти что? (время, жизнь…)
сходить — сойти (с ума)
приходить — прийти (в себя)
выходить — выйти (из себя, из трудной ситуации)
обходиться — обойтись без чего? кого?

13. ✍ *ПРОВЕРЬТЕ СЕБЯ.*
Вставьте глаголы движения. Пользуйтесь информацией из задания 12.

Однажды мы договорились с Дашей, что я … к её дому в два часа, и мы … куда-нибудь пообедать. Я … точно в два, но её не было. Я ждал полтора часа и чуть не … с ума. Потом она мне рассказала, что случилось. Она вдруг решила сделать мне подарок. За два часа до встречи она … из дома и … в магазин. Там она ничего не нашла и решила … все магазины поблизости. Когда она … из третьего магазина, то встретила подругу, которая предложила ей … к ней на минутку посмотреть новое платье на лето, которое ей не … . Даше платье не … тоже, поэтому они решили … в магазин и постараться поменять его на другое. Даша объяснила, что не могла бросить подругу в трудной ситуации. Когда они … мимо одной витрины, она вдруг увидела то, что собиралась мне купить, но магазин был закрыт. И тут я их увидел: они стояли и спорили, как лучше … из трудной ситуации. Даше обязательно хотелось купить эту вещь, но она боялась, что я … из себя, если она опоздает. Она даже не заметила, сколько времени … . Я … к ним, но не … из себя, потому что опять увидел её глаза и опять понял, что всё ерунда, кроме того, что без этих глаз я не могу … .

14. 🖋 *ПРЕДСТАВЬТЕ СЕБЯ НА МЕСТЕ ДРУГОГО И РАССКАЖИТЕ.*
Представьте себя на месте Даши и расскажите эту историю с её позиции.

15. 〰 *ПРИДУМАЙТЕ.*
Постарайтесь использовать максимум слов из задания 12 и составьте мини-историю о том,

⫽ как вы искали дом своего друга, который было очень трудно найти;
⫽ как вы искали подарок для своей девушки (парня) на день рождения;
⫽ как вы искали сотрудника фирмы, очень занятого человека, с которым вам нужно срочно поговорить.

16. 🖉 *ПРОВЕРЬТЕ СЕБЯ.*
Поставьте слова из скобок в правильную грамматическую форму.

Приходи (я, дом).
Подойдите (секретарь, деканат).
Сходите (новый фильм, кинотеатр «Пушкинский»).
Заходите (мы, общежитие).
Войдите (подъезд).
Отойди (окно).
Обойди (лужа).
Перейдите (дорога).
Пройдите (два дома).
Уходите (здесь).
Выйдите (комната).

17. 🗁 *РАССКАЖИТЕ.*
Рассмотрите схемы маршрутов и составьте по ним рассказы. Используйте известные вам глаголы движения.

Внимание!
Для того чтобы правильно выполнить это задание, вам необходимо:
1) определить рассказываете ли вы об обычном, каждодневном маршруте или о том, как вы добирались до места единственный раз;
2) использовать дополнительные слова: поворачивать — повернуть куда?; садиться — сесть (на автобус…); выходить — выйти (из автобуса…); сделать пересадку.

Например. Я вышел из дома и пошёл к остановке троллейбуса. Когда я подошёл к остановке, то сразу подъехал мой троллейбус. Я сел на троллейбус и поехал к метро. Троллейбус ехал сначала прямо, потом повернул налево и подъехал к нужной мне остановке. Я вышел из троллейбуса, перешёл через дорогу, обошёл памятник и пошёл к станции метро. Через час я был в гостях у друга.

МАРШРУТ 1. Дом → станция метро (только пешком)

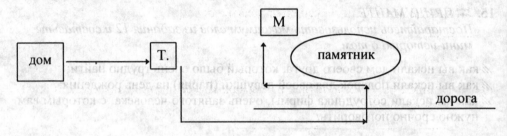

МАРШРУТ 2. Дом → университет (пешком + на транспорте)

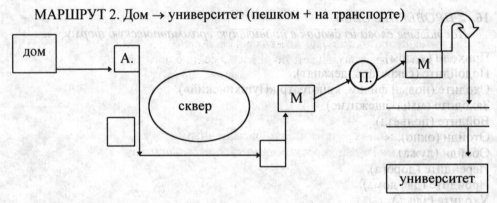

18. УЗНАЙТЕ.
Выражение уступки.

1. | **Несмотря на** что? — несмотря на то что... |

Несмотря на *погоду*, мы решили съездить на дачу.
Несмотря на то что погода была ужасной, мы решили съездить на дачу.

2. | **Вопреки** чему? — вопреки тому что... |

Вопреки *его предсказаниям*, мне удалось выйти из трудной ситуации.
Вопреки тому что он предсказывал, мне удалось выйти из трудной ситуации.

3. | **Независимо** от чего? — независимо от того что… |

Независимо *от вашего решения* я поеду за границу.
Независимо от того что вы решили, я поеду за границу.

4. | **При всём (всей, всех)** чём? |

При всем *желании* я не успею приехать вовремя.

5. | **Хотя** |

Хотя никто не умел кататься на лыжах, мы решили на зимние каникулы поехать в горы.

6. | **И (а, но) всё-таки = и (а, но) всё же** |

Она всегда опаздывает, **но всё-таки** я её люблю.
Хотя она всегда опаздывает, **но всё же** я её люблю.

7. | **(но) зато** |

Каникулы были короткими, **зато** насыщенными.
Хотя каникулы были короткими, **но зато** насыщенными.

19. ≈ *ПРИДУМАЙТЕ.*
У вас есть возможность изменить эти высказывания. Придумайте, как это можно сделать, используя информацию из задания 18.

Например: Дети — цветы жизни, хотя иногда ядовитые.

Люди достойны любви.
Жизнь прекрасна.
Молодым везде у нас дорога.
Судьба играет человеком.
Учиться, учиться, учиться.
Человек рождается свободным.
Жизнь коротка.
Друг — всегда брат.
Правда бывает обидной.

129

Раны от любви не всегда убивают.
Постоянство — это мечта любви.

20. ПРОВЕРЬТЕ СЕБЯ.

Дайте подходящую реплику. Используйте хотя (-) или зато (+).

Модель: — Учиться в России трудно.   — Учиться в России интересно?
       ▸ Но зато интересно.   ▸ Да, хотя очень трудно.

— Не люблю пиво. Оно горькое.
— ...

— Ты любишь водить машину?
— ...

— Ненавижу путешествовать пешком. А ты?
— ...

— Женщины бывают очень капризными.
— ...

— Надо бросить курить. Как ты думаешь?
— ...

— Слушай, я совершенно разучился играть на гитаре.
— ...

21. УЗНАЙТЕ.

Глаголы изменения состояния и отглагольные существительные.

1. | Изменять (ся) — изменить (ся) | | Изменение |

С тех пор как я живу в Москве, моя жизнь совершенно **изменилась**.

2. | Улучшать (ся) — улучшить (ся) | | Улучшение |

| Ухудшать (ся) — ухудшить (ся) | | Ухудшение |

После сессии мое настроение значительно **улучшилось**, хотя здоровье **ухудшилось**.

3.

Увеличивать (ся) — увеличить (ся)	Увеличение
Уменьшать (ся) — уменьшить (ся)	Уменьшение
Сокращать (ся) — сократить (ся)	Сокращение

Количество студентов во всём мире постепенно **увеличивается**, а количество перспективных вакансий **уменьшается** (**сокращается**).

4.

| Снижать (ся) — снизить (ся) | Снижение |
| Повышать (ся) — повысить (ся) | Повышение |

После кризиса уровень жизни **снизился**, а цены значительно **повысились**.

5.

| Удлинять (ся) — удлинить (ся) | Удлинение |
| Укорачивать (ся) — укоротить (ся) | |

Летом дни **удлиняются**, а зимой **укорачиваются**.

6.

| Упрощать (ся) — упростить (ся) | Упрощение |
| Усложнять (ся) — усложнить (ся) | Осложнение |

Когда я немного выучил русский язык, жизнь в Москве для меня значительно **упростилась**.
После того как я перестал подрабатывать, моё финансовое положение **усложнилось**.

7.

Усиливать (ся) — усилить (ся)	Усиление
Ослаблять (ся) — ослабить (ся)	Ослабление
Укреплять (ся) — укрепить (ся)	Укрепление

Кризис **усилился** и **ослабил** предприятия и банки.
Если хотите долго жить, **укрепляйте** здоровье.

8.

Убыстрять (ся) — убыстрить (ся)	Убыстрение
Замедлять (ся) — замедлить (ся)	Замедление
Ускорять (ся) — ускорить (ся)	Ускорение

Ритм жизни в Москве постоянно **убыстряется (ускоряется)**. Иногда хочется **замедлить** движение, чтобы просто подумать, но времени нет.

22. ⧖ *ПРОВЕРЬТЕ СЕБЯ.*
Вставьте нужные слова. Используйте информацию из задания 21.

После того как я начал подрабатывать, моё финансовое положение значительно … . Поэтому я решил, что я могу позволить себе … траты на путешествия. На Рождество мы решили поехать в Париж и остановиться в хорошей гостинице. Даша была против, потому что считала, что, если я потрачу все деньги на путешествие, то после возвращения моя жизнь … , потому что мне опять придётся работать и учиться. Через Интернет я решил выяснить, как … цены за последнее время. Я узнал, что хотя цены на гостиницы в Париже слегка … , но зато цены на билеты «Аэрофлота» чуть-чуть … . Вторая проблема — это виза. Чтобы … оформление визы, мы решили обратиться в турфирму. Наконец, всё готово, и завтра мы летим в Париж. В Париже мы провели самое чудесное время в нашей жизни и мечтали только об одном — … время, которое не шло, а летело.

23. ⧖ *ПРОВЕРЬТЕ СЕБЯ.*
Вспомните информацию рассказа-упражнения. Используйте глаголы изменения состояния.

Его финансовое положение …
Он … траты на путешествие.
Его жизнь …
Цены на гостиницы …
Цены на билеты …
… оформление визы.
Они хотели … время.

24. ☞ *РАССКАЖИТЕ + ПРОВЕРЬТЕ СЕБЯ.*
Используя информацию из задания 21 (+ расти — вырасти, сокращать-(ся) — сократить(ся)), расскажите, как изменяется:

❑ уровень и качество жизни в России;
❑ ваш уровень владения русским языком;

□ ваше финансовое положение;
□ уровень и качество жизни в вашей стране.

ДИАЛОГ

— Куда ты собираешься на летние каникулы?
— Сначала хочу съездить на Байкал на неделю, а потом поеду домой, как всегда. А ты?
— Только на море. Ты знаешь, я предпочитаю проводить летние каникулы на море. Обожаю лежать на пляже, купаться, загорать, ничего не делать и ни о чём не думать.
— А не скучно?
— Ты что! Вечером всегда можно здорово развлечься, да и на пляже можно поиграть в пляжный волейбол или покататься на серфе, пообщаться с друзьями.
— А ты уже решил, куда конкретно поедешь?
— В прошлом году мы были в Турции, в Анталии, а сейчас планируем поехать в Грецию.
— А почему ты не хочешь в Сочи или ещё куда-нибудь, но в России?
— В Сочи я уже был несколько раз. В последнее время цены там не намного ниже, чем в Турции, а сервис хуже.
— Откуда ты знаешь, может быть, в этом году ситуация улучшилась?
— Вряд ли. У нас в России не бывает быстрых улучшений, хотя быстрые ухудшения бывают часто. Ты, наверное, уже заметил.
— Нет, но зато я заметил другое: все русские — большие пессимисты.
— Ничего подобного. Просто мы реалисты. Жизнь научила. А вот я тоже заметил, что большинство иностранцев — большие оптимисты. У вас всегда всё хорошо, а будет ещё лучше.
— Ладно, реалист, ещё встретимся и поспорим по поводу пессимистов — реалистов — оптимистов. А сейчас мне пора бежать. Пока.
— До встречи, мой дорогой оптимист.

25. ☺ *ВЫСКАЖИТЕ СВОЁ МНЕНИЕ.*

Что вы думаете по поводу возможности провести летние каникулы:

➢ на море в Турции;
➢ на озере Байкал;
➢ в Греции;
➢ в туристическом походе на байдарках;
➢ на даче.

133

26. ☎ ПОГОВОРИМ.

Как вы понимаете, кто такой оптимист, пессимист, реалист, прагматик, романтик, эгоист, альтруист?

К какой категории вы можете отнести себя? Почему?

Каких людей в России больше — оптимистов или пессимистов, эгоистов или альтруистов? Почему?

Каких людей больше в вашей стране? Почему?

Хорошо ли быть прагматиком и иметь прагматичный взгляд на жизнь? Почему?

В России считают, что есть прагматичные нации. Согласны ли вы с этим? Если да, то какие?

27. ✗ ПОСПОРИМ.

Из трёх разных мнений выберите то, которое вам ближе, и аргументированно защищайте его.

Вы считаете, что хотя русские люди пессимисты, но зато они намного больше альтруисты и романтики, чем люди западных наций.

Ваша задача — найти аргументы и примеры для защиты своей точки зрения.

Вы считаете, что русские — прагматики и эгоисты, особенно молодёжь, тогда как западные нации, особенно европейские, более романтичны и смотрят на жизнь оптимистично.

Ваша задача — убедить в этом своего собеседника и привести аргументы в защиту своего мнения.

Вы считаете, что не бывает наций только альтруистов или эгоистов, романтиков или прагматиков.

Ваша задача — убедить собеседников отказаться от чёрно-белого взгляда на жизнь.

28. 👍 МЫ ВАС СЛУШАЕМ. ВЫСКАЖИТЕСЬ.

Выберите одну из тем и выскажитесь по ней. Время — 10 минут.

✗ Летние каникулы.

✗ Зимние каникулы.

✗ Ваше путешествие-мечта.

✗ Национальный характер: реальность или утопия?

✗ Сравнение уровня жизни в вашей стране и в России.

🔑 КЛЮЧИ К ЛЕКСИКО-ГРАММАТИЧЕСКИМ ЗАДАНИЯМ

13. Подойду, пойдём (сходим), пришёл, сошёл, вышла, пошла, обойти, выходила, зайти, не подошло, не подошло, сходить, проходили, выйти, выйду, прошло, подошёл, вышел, обойтись.

16. Приходи ко мне домой, подойдите к секретарю в деканат, сходите на новый фильм в кинотеатр «Пушкинский», заходите к нам в общежитие, войдите в подъезд, отойди от окна, обойди лужу, перейдите через дорогу, пройдите два дома, уходите отсюда, выйдите из комнаты.

22. Улучшилось, увеличить, усложнится (осложнится), изменились, повысились, снизились, ускорить, замеsдлить.

I. ЗНАКОМСТВО

Текстовой материал

- Рассказ: Я о себе и своих друзьях.
- Тема: Изучение иностранного языка (рассказ-упражнение 10).
- Тема: Дружба и друзья (рассказ-упражнение 27).
- Диалоги знакомства преподавателя с новыми студентами.
- Резюме.

Дискуссионный материал

- Жизнь и учёба иностранных студентов в России: трудности и их преодоление.
- Любимые и нелюбимые предметы и занятия.
- Дружба и друзья: важно или нет?
- Карьера.

Лексико-грамматический материал

- Глаголы *учить/учиться* с приставками. Лексика по теме «Учёба, обучение».
- Обращение по имени (отчеству, фамилии) в различных ситуациях.
- «Имя — название; звать — называть — называться». Вопросы и ответы.
- Образование существительных, обозначающих лиц по национальности, и прилагательных, обозначающих принадлежность к стране.
- Образование существительных, обозначающих лиц по действию (в том числе название профессий и рода деятельности).
- Повторение предложно-падежной системы.
- Сложное предложение: выражение определительных отношений при помощи слова *который*.

II. УЧЁБА

Текстовой материал

- Рассказ: Я о своей учёбе.
- Тема: Решение проблем (рассказы-упражнения 10, 19).
- Тема: Поиск информации (рассказ-упражнение 33).
- Диалоги выяснения информации.

Дискуссионный материал

- Плюсы и минусы учёбы в России.
- Деньги и долги: одалживать, брать в долг или … ?
- Компьютер и учёба.
- Решение проблем: решаю сам или советуюсь с близкими?

Лексико-грамматический материал

- Глагол *говорить* с приставками. Отглагольные существительные.
- Образование отглагольных существительных со значением действия (процесса), результата действия.
- Вспомогательные глаголы при отглагольных существительных.
- Лексика по теме «Поиск и получение информации».
- Возвратные и личные местоимения.
- Выражение времени в простом предложении. Дата (*год, месяц + год, число + месяц + год*). Период (*с... по...*).
- Выражение времени в простом предложении с помощью предлогов *через — после*.
- Выражение периода времени в простом предложении: *три часа — за три часа — на три часа*.

III. МОЙ УНИВЕРСИТЕТ

Текстовой материал

- Рассказ: История и сегодняшний день моего университета.
- Тема: Обдумывание предложения (рассказ-упражнение 12).
- Тема: Любовь (рассказ-упражнение 21).
- Тема: Эгоизм и эгоисты (рассказ-упражнение 21).
- Тема: Возраст Москвы (рассказ-упражнение 26).
- Диалог — спор (выражение и отстаивание своего мнения).

Дискуссионный материал

- История вашего университета: любопытно узнать, нужно знать или это неважно?
- Нужно ли гордиться своим университетом?
- Университетские проблемы: общие или частные?
- Люблю… , любил… , хочу любить… . А что значит «любить»?
- Быть эгоистом: хорошо или плохо?
- Нужно ли знать историю города, в котором живёшь?
- Поспорим с великими (задание 31).

Лексико-грамматический материал

- Глагол *думать* с приставками.
- Образование качественных прилагательных-характеристик.
- Способы выражения усиления при помощи слов *так, такой*.
- Лексические средства по теме «Выражение мнения». Как выразить своё мнение и выяснить чужое?
- Употребление сочетания *друг друга* в разных падежах.
- Употребление прилагательного *другой* в функции существительного в разных падежах.
- Пассивные конструкции несовершенного/совершенного вида (образование и использование).

IV. УЧЁБА ПОСЛЕ ЗАНЯТИЙ

Текстовой материал

- Рассказ: Учусь в библиотеке.
- Рассказ: Учусь не болеть.
- Рассказ: Учусь водить машину.
- Рассказ: Учусь играть в теннис.
- Рассказ: Учусь есть по-русски.
- Тема: Как можно подписаться на газету (рассказ-упражнение 7).
- Тема: Смысл жизни (рассказ-упражнение 15).
- Диалог: Запись в библиотеку.
- Диалог: У врача.
- Диалог: Запись в автошколу.
- Диалог: Запись в спортивную секцию.
- Диалог: В студенческой столовой.

Дискуссионный материал

- Учись, пока молодой. Согласны?
- Что вам нравится и что не нравится в вашей библиотеке?
- Университетская библиотека XXI века.
- Подписываться на газету: нужно или нет?
- Человек: зачем он живёт?
- Здоровый образ жизни: за или против?
- Иметь машину: плюсы и минусы.
- Как можно получить права в России и в вашей стране.
- Ваше отношение к спорту вообще и к конкретным видам спорта в частности.
- Стоит ли изучать третий (четвёртый) иностранный язык?
- Чем меньше ешь, тем дольше живёшь. Согласны?

- Вегетарианство: плюсы и минусы.
- Уезжать из страны или оставаться? Эмиграция.

Лексико-грамматический материал

- Глагол *писать* с приставками. Отглагольные существительные.
- Глаголы движения.
- Разницы в значении: *тоже — также*.
- Выражение изъяснительных отношений с помощью союзов *что/чтобы*.
- Выражение целевых отношений в сложном предложении.
- Неопределённые местоимения с частицами *-то, -нибудь*.
- Сложные случаи выражения цели и причины в простом предложении: *за чем? кем?; за кого? что?*
- Сложные случаи выражения причины/условия в сложном предложении.
- Выражение условных отношений в сложном предложении (реальное и нереальное условие).

V. РАБОТА ПОСЛЕ УЧЁБЫ

Текстовой материал

- Рассказ: Я подрабатываю после занятий.
- Тема: Первая подработка — первые трудности (рассказ-упражнение 10).
- Тема: Монотонная жизнь: способы преодоления (рассказ-упражнение 16).
- Тема: Человек и война (рассказ-упражнение 25).
- Диалог-спор. Выражение согласия/несогласия.

Дискуссионный материал

- Подрабатывать или нет?
- Карманные деньги: сколько и на что?
- Как рационально совместить подработку и учёбу?
- Трудно ли зарабатывать большие деньги?
- Меняется ли человек во время и после войны? Как?
- Ваши интересы.
- Однообразная жизнь: бороться или смириться?
- Поспорим с великими (задание 29).

Лексико-грамматический материал

- Глагол *работать* с приставками.
- Образование существительных, прилагательных и глаголов при помощи словообразовательных средств *одно-, моно-, едино-, со-*.

- Выражение согласия/несогласия с мнением.
- Выражение уверенности/неуверенности.
- Выражение времени в сложном предложении.

VI. РАЗВЛЕЧЕНИЯ И УВЛЕЧЕНИЯ

Текстовой материал

- Рассказ: Мои развлечения.
- Тема: Подрабатывать няней для ребёнка: радости и огорчения (рассказ-упражнение 11).
- Тема: Языковые заимствования (задания 18, 20).
- Диалог: Обсуждение программы развлечений на выходные.

Дискуссионный материал

- Студенческие развлечения: модные, опасные или вечные?
- Студенческие развлечения в России и у вас в стране. Похожи или нет?
- Трудно ли развлекать детей? Какие развлечения лучше?
- Развлечения и увлечения: общее и разница.
- Иностранные заимствования: хорошо или плохо?
- Сопоставления и сравнения.

Лексико-грамматический материал

- Лексико-семантическая группа глаголов с корнем -влек/-влечь. Отглагольные существительные. Прилагательные.
- Глаголы и существительные иноязычного происхождения.
- Выражение сопоставления в простом предложении.
- Выражение сопоставления в сложном предложении.

VII. КАНИКУЛЫ

Текстовой материал

- Рассказ: Как я провожу каникулы
- Тема: Отношение к любимым (задание 13).
- Тема: Как добраться куда-либо (задание 17).
- Тема: Изменение цен, уровня жизни, экономического положения (задание 22).
- Диалог-обмен мнениями: Каникулы и отношение к жизни русских и других наций.

Дискуссионный материал

- Как можно провести каникулы экономно.
- Путешествия: за границей или дома? Что лучше?
- Каникулы: познавательные, развлекательные, ленивые, спортивные, семейные.
- Отношение к любимым: рассердиться или простить?
- Уровень и качество жизни в России и в вашей стране.
- Разное отношение к жизни разных наций: миф или реальность?
- Прагматики и романтики, пессимисты и оптимисты.

Лексико-грамматический материал

- Глаголы движения с приставками.
- Глаголы движения с приставками в переносном значении.
- Образование глаголов со значением приобретения нового качества или усиления его.
- Выражение уступки в простом предложении.
- Выражение уступки в сложном предложении.

ОГЛАВЛЕНИЕ

Учебное издание

АНИКИНА
Марина Николаевна

НАЧИНАЕМ ИЗУЧАТЬ РУССКИЙ
В РОССИЮ С ЛЮБОВЬЮ
Учебное пособие
по русскому языку

Редактор
Н. М. Подъяпольская

Компьютерная верстка
Е. А. Домнина

Лицензия ЛР № 010155 от 09.04.97.

Подписано в печать 12.11.01. Формат 70×90/16. Бумага офсетная. Гарнитура «Таймс». Печать офсетная. Усл. печ. л. 10,53. Уч.-изд. л. 4,9. Тираж 5060 экз. Заказ 4881.

Издательство «Русский язык» Министерства РФ по делам печати, телерадиовещания и средств массовых коммуникаций.
113303, Москва, М. Юшуньская ул., д. 1.

Отпечатано в полном соответствии с качеством предоставленных диапозитивов в ОАО «Можайский полиграфический комбинат»
143200, г. Можайск, ул. Мира, 93.